D0937574

LA MÈRE CANADIENNE ET SON ENFANT

DIVISION DE L'HYGIÈNE MATERNELLE
ET INFANTILE

ÉDITION ORIGINALE 1940
12 impressions

DEUXIÈME ÉDITION 1953
13 impressions

TROISIÈME ÉDITION
TROISIÈME IMPRESSION
1968

Publié par autorité
du ministre de la Santé nationale et du Bien-être social,
l'honorable John Munro

Dr. John N. Crawford,
Sous-ministre fédéral de la Santé

Joseph W. Willard, D.Ph.,
Sous-ministre fédéral du Bien-être social

En vente chez l'Imprimeur de la Reine à Ottawa,
et dans les librairies du Gouvernement fédéral:

HALIFAX
1735, rue Barrington

MONTRÉAL
Édifice Æterna-Vie, 1182 ouest, rue Ste-Catherine

OTTAWA
Édifice Daly, angle Mackenzie et Rideau

TORONTO
221, rue Yonge

WINNIPEG
Édifice Mall Center, 499, avenue Portage

VANCOUVER
657, rue Granville

ou chez votre libraire.

Prix 75 cents No de catalogue H53-267F

Prix sujet à changement sans avis préalable

ROGER DUHAMEL, M.S.R.C.
Imprimeur de la Reine et Contrôleur de la Papeterie
Ottawa, Canada
1968

Avant-propos

Chaque année, 400,000 nouveaux Canadiens voient le jour. Avant la naissance et durant la première année de vie de l'enfant, les parents auront avantage à consulter le présent ouvrage.

La mère canadienne et son enfant a paru, pour la première fois, en 1940 et, de cette date à l'édition revisée de 1953, plus de deux millions d'exemplaires ont été distribués. Plusieurs milliers d'autres parents bénéficieront vraisemblablement de l'édition de 1967.

Un manuel ne peut évidemment pas remplacer les soins normaux et experts que doivent recevoir la mère et l'enfant, mais le présent ouvrage donne une idée générale de ce à quoi le père et la mère auront à faire face. La présente publication peut grandement servir à solutionner les problèmes quotidiens de santé au cours de la grossesse et de la première année de vie.

Je souhaite que **La mère canadienne et son enfant** contribue à apporter aux parents la tranquilité et la fierté inhérents à leur rôle.

Remerciements

La Division de l'Hygiène maternelle et infantile a été aidée, dans la revision de cet ouvrage, par plusieurs autorités en matière de médecine et d'hygiène, partout au Canada. Des opinions et observations ont été formulées par le Comité consultatif de l'Hygiène maternelle et infantile du ministère de la Santé nationale et du Bien-être social, par la Société des Obstétriciens et Gynécologues du Canada, par la Société canadienne de Pédiatrie, par les médecins et les infirmières, conseillers en hygiène maternelle et infantile et par les éducateurs hygiénistes provinciaux.

Au ministère de la Santé nationale et du Bien-être social, les revisions techniques ont été faites par les Divisions de l'Épidémiologie, de l'Hygiène dentaire, de l'Hygiène mentale et de la Nutrition.

C'est grâce à cette collaboration qu'il a été possible de publier cette édition revisée de "La Mère canadienne et son Enfant", basée sur de bonnes connaissances scientifiques et sur l'exercice courant de la médecine.

La Division de l'Hygiène maternelle et infantile apprécie le concours prêté par tant de personnes afin de mettre ce livre à jour.

Introduction

La maternité s'annonce

. . . et c'est le début de l'aventure la plus merveilleuse de la vie, une aventure qui fait du "couple", une "famille" et qui transforme le mari et la femme en père et mère.

Même s'il ne s'agit pas d'un premier bébé, chaque mère sait bien que cette grossesse sera quelque chose dc particulier, car pas une grossesse ne ressemble à une autre. L'attente du bébé devrait être une période de bonheur, particulièrement pour la Canadienne qui, de nos jours, peut attendre la naissance de son enfant avec une confiance qui n'a pas toujours eu sa raison d'être chez nous, et qui n'existe pas encore dans bien des pays.

Sa confiance provient en partie du fait que les soins médicaux offerts aux mères et aux enfants ont fait autant de progrès au Canada que n'importe où ailleurs au monde. Mieux que jamais, on connaît l'hygiène générale de la grossesse, et des progrès constants dans ce domaine assurent le plus de sécurité possible lors de l'accouchement.

Tous les pays accordent une attention spéciale à la santé des mères et des bébés. Au Canada, une des meilleures législations au monde offre pour chaque enfant un montant d'argent chaque mois, et affecte des sommes considérables à la recherche et à l'amélioration des services d'hygiène maternelle et infantile; elle aide les organismes tant officiels que bénévoles à étendre les services des cliniques, des hôpitaux et des centres de santé.

Plus que jamais, les parents peuvent se renseigner, grâce aux nombreux dépliants, plaquettes, films et projections fixes qui leur sont offerts. Partout au Canada, on peut obtenir des conseils sur la santé en s'adressant au Service de santé le plus proche ou en écrivant au ministère provincial de la Santé.

Par exemple, ce livre renseignera les parents autant sur la grossesse que sur les soins ordinaires que requièrent le nouveau-né et la nouvelle accouchée.

Après la naissance de votre tout-petit, vous serez bien trop occupée à le soigner et à l'admirer pour trouver le temps de lire; profitez donc des mois d'attente pour vous renseigner. La grossesse devrait être un temps de bonheur, mais il est difficile d'être heureuse quand l'inquiétude et le doute rongent. C'est justement pour fournir les connaissances qui dissiperont les angoisses et les soucis que ce livre est écrit.

Il est maintenant établi que la santé physique et la santé mentale sont intimement liées. Heureux les enfants dont les parents, épris l'un de l'autre, partagent ensemble la joie vivante de l'attente du bébé et qui s'appliquent à établir les bases d'une vie de famille heureuse! La vie à deux ne s'improvise pas comme le prouvent les cours de préparation au mariage organisés par les autorités religieuses et par des organismes bénévoles. Le métier de parent exige aussi qu'on s'y prépare de façon intelligente.

Bien des femmes sont portées à croire que leur grossesse est unique en son genre. Il est bon de se rappeler que le fait de porter un enfant est vieux comme le monde et que c'est une chose parfaitement naturelle. La femme enceinte dont la grossesse progresse normalement n'est pas malade. Cependant, elle a besoin des soins d'un médecin pour s'assurer que tout ira bien; elle sera aussi plus sereine et jouira mieux de son bébé si elle et sa famille sont mentalement et affectivement préparées à accueillir le nouveau venu.

Table des matières

Chapitre Douze:

Chapitre Treize:

Chapitre Quatorze:

QUATRIÈME PARTIE:

Chapitre Quinze:

Première Partie

La femme enceinte

CHAPITRE UN

Comment se préparer à la maternité

La grossesse est un phénomène normal. Les bonnes habitudes d'hygiène que la femme a contractées en grandissant, les soins qu'elle a pris avant la naissance du bébé et les préparatifs qu'elle et son mari feront en vue de l'arrivée du bébé, seront la garantie d'une expérience riche et satisfaisante. Ils représentent aussi l'arrière-plan le plus important pour la santé et le bonheur du bébé et de sa famille.

Dès que vous vous croirez enceinte, n'hésitez pas à prendre un rendez-vous chez votre médecin. Une surveillance médicale régulière, dès le début de la grossesse, est la meilleure protection pour vous et pour votre bébé.

Signes de grossesse

Comment savoir si vous êtes enceinte ? Au début, il existe quatre indices :

1. Disparition des règles. Vous êtes probablement enceinte si, à la suite de rapports sexuels, vos règles retardent de deux ou trois semaines alors qu'habituellement vous êtes régulière.

2. Envies fréquentes d'uriner. Elles se produisent souvent au début de la grossesse et sont causées par la circulation plus active du sang dans le bassin et la pression exercée sur la vessie par la matrice qui augmente de volume.

3. Modifications des seins. Vers la fin du premier mois, les seins sont sensibles et il y a une sensation de lourdeur. C'est un signe que le sang y afflue en plus grande abondance en prévision de l'allaitement.

4. Nausées. Des nausées légères le matin ou encore une répugnance à sentir ou à goûter les aliments peuvent se produire au début de la grossesse. La cause de ce malaise est encore indéterminée.

Le premier de ces symptômes, s'accompagnant d'un ou de tous les autres, justifie une visite chez le médecin.

La première visite

Le médecin vous posera beaucoup de questions au sujet de vos symptômes. Essayez de lui dire exactement la date de vos dernières règles et de lui fournir tout renseignement qui pourrait être un indice de grossesse. Le médecin s'informera de votre état de santé passé et actuel, et même de la santé de vos parents. Si vous avez été en contact avec des malades atteints d'une maladie contagieuse, comme la rubéole, ne manquez pas de le lui signaler. À l'aide de ces renseignements et de ceux que lui fourniront les examens médicaux réguliers et certaines analyses, il pourra vous conseiller judicieusement et vous prodiguer les meilleurs soins possibles durant votre grossesse. Il vous faudra suivre ses conseils. Si cela n'était pas possible, dites-le lui et expliquez pourquoi.

L'examen médical

Le médecin vous fera subir un examen médical complet pour s'assurer que tous vos organes fonctionnent bien. À différentes reprises

. . . Il vous pèse. La façon dont vous prenez du poids a de l'importance; c'est pourquoi le médecin doit connaître votre poids normal au début de la grossesse.

. . . Il mesure votre tension artérielle. La croissance du foetus

dépend de la circulation sanguine de la mère. La tension artérielle indique à votre médecin si votre coeur est bon et si la circulation du sang est normale.

. . . Il examine vos dents et vos gencives et, au besoin, vous conseille d'aller voir le dentiste. La bouche ne doit pas être un foyer d'infection durant la grossesse (pas plus qu'en d'autre temps, d'ailleurs). Se faire soigner les dents durant la grossesse ne présente aucun problème et aucun danger. Dites à votre dentiste que vous êtes enceinte: si vous avez besoin d'un long traitement il ne manquera pas de consulter votre médecin.

. . . Il examine la gorge et le nez afin de s'assurer qu'il n'y a aucun foyer d'infection.

. . . Il s'assure que votre coeur et vos poumons sont en état de supporter l'effort supplémentaire exigé par la grossesse.

. . . Il fait une prise de sang dans la veine de votre bras. L'analyse de cet échantillon de votre sang révélera si vous souffrez de syphilis ou d'anémie et déterminera votre groupe sanguin et votre facteur Rh. (Voir page 20).

. . . Il analyse un échantillon de votre urine qui lui indique comment fonctionnent vos reins.

. . . Il procède à un examen interne ou vaginal, pour se rendre compte des modifications des organes de reproduction. Cet examen très important lui permet aussi de découvrir la dimension et la forme des os du bassin, ainsi que l'état de vos organes, et de confirmer la grossesse. L'examen médical contribuera à un accouchement normal.

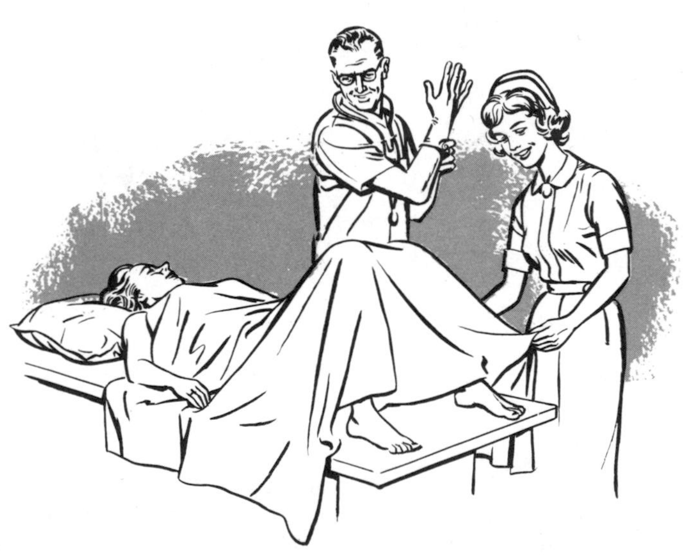

Surveillance médicale durant la grossesse

Le premier examen fournira à votre médecin une bonne idée de votre état de santé et lui permettra de répondre à vos besoins dans les mois à venir. Il vous demandera de lui rendre visite une fois par mois durant les six premiers mois, et plus souvent par la suite. À chaque visite il mesurera votre tension artérielle, il analysera votre urine et vous pèsera afin de suivre les progrès de votre grossesse.

Vous devriez vous peser vous-même chaque semaine car la façon dont vous gagnez du poids est révélatrice. L'augmentation du poids, durant la grossesse, doit se faire graduellement, à un rythme cependant plus rapide durant la deuxième moitié de la grossesse. Si votre poids augmente brusquement, avertissez votre médecin qui y verra peut-être l'indice d'une trop grande accumulation d'eau dans vos tissus. Si, au début de votre grossesse, votre poids est normal pour votre âge et votre grandeur, vous prendrez graduellement de 15 à 25 livres pendant les neuf mois que dure votre grossesse.

En sa qualité d'expert, c'est votre médecin qui déterminera le nombre de vos visites. Il vous conseillera quant à votre alimentation, votre repos et votre activité. Il vous prescrira des médicaments, s'il le juge nécessaire, mais vous ne devriez jamais prendre aucun médicament, pas même de laxatifs, sans sa permission. La raison de cette restriction c'est que les médicaments que vous absorbez circulent dans votre sang de même que dans le sang du bébé. Nous ignorons encore quels effets les drogues peuvent avoir sur la croissance et le développement du foetus. C'est pourquoi vous ne devriez jamais prendre de médicament à moins qu'il ne vous ait été prescrit par le médecin. Ne prenez pas non plus de médicaments prescrits pour une autre personne. Ce qui lui convient peut être nuisible à vous ou même à votre bébé.

Vos questions

Posez sans crainte à votre médecin toutes les questions que vous voudrez, sur ce que vous aimeriez savoir ou sur ce qui vous tracasse. Une des premières sera peut-être “Quand mon bébé viendra-t-il au monde ?”

La grossesse dure environ 280 jours. Pour trouver la date probable de votre accouchement, ajoutez 7 jours à la date du début de vos dernières règles puis retournez trois mois en arrière, puis ajoutez un an ce qui vous donnera la date. Par exemple, si vos dernières règles ont commencé le 14 janvier, ajoutez 7 jours — le 21 janvier — revenez trois mois en arrière — décembre, novembre, octobre, et ajoutez une année. Votre bébé naîtra probablement vers le 21 octobre. Voilà un moyen rapide de calculer facilement la date approximative de l'accouchement. Il peut cependant y avoir quelques écarts d'une personne à une autre.

Vous pouvez vous servir du calendrier de la grossesse, page 169, pour savoir à peu près la date à laquelle votre bébé naîtra.

On vous aura peut-être dit que votre sang était Rh négatif et vous vous demandez ce que cela veut dire.

Le facteur Rh est une substance présente dans le sang de 85 p. 100 des individus; ceux-ci ont un facteur Rh positif. Les autres 15 p. 100 n'ont pas de facteur Rh; ils font donc partie du groupe Rh négatif. Lorsqu'une femme dont le facteur Rh est négatif se marie avec un homme dont le facteur Rh est positif, elle peut avoir des enfants dont le facteur Rh sera positif. Dans certains cas, mais pas dans tous, bien entendu, la mère développe une sensibilité envers le facteur Rh présent dans le sang de son bébé et elle produit des anticorps. Ceci ne se produit pas avec un premier bébé, excepté si la mère a déjà fabriqué des anticorps à la suite d'une transfusion de sang Rh positif. Les anticorps qui circulent dans le sang du bébé détruisent ses globules rouges et provoquent la maladie associée au facteur Rh ou l'érythroblastose. Les enfants ainsi atteints souffrent d'anémie puisqu'ils détruisent leurs globules rouges, ainsi que de jaunisse puisqu'ils ne peuvent pas éliminer assez rapidement les déchets produits par la destruction du sang.

Si la mère a le facteur Rh négatif, son docteur pourra, grâce à des analyses supplémentaires de sang au cours de la grossesse, déterminer si elle produit des anticorps. Si elle en produit, il fera les préparatifs nécessaires pour soigner immédiatement le bébé, s'il est né avec la maladie du facteur Rh.

Une autre question vous intrigue: Est-ce que ce sera un garçon ou une fille ? Peut-on le savoir à l'avance ? Non, impossible de connaître le sexe du bébé avant sa naissance. On vous a peut-être déjà parlé de certains signes pouvant révéler le sexe du bébé avant la naissance: mais il n'existe pas encore de méthode simple et infaillible. Il est sage de choisir un prénom de fille et un prénom de garçon, en prévision de l'un ou de l'autre.

La femme qui attend son premier enfant ne devrait pas écouter les "histoires de bonne femme" et les supposés "conseils" prodigués par des personnes bien intentionnées mais mal renseignées. Les superstitions voulant que la peur ou la vue de choses désagréables "marquent" le bébé n'ont aucun fondement scientifique. Mais le foetus se ressent de l'état de santé de la mère et c'est pourquoi votre santé et votre état d'esprit ont tant d'importance. Les conseils de votre médecin, ses réponses à vos questions, les soins qu'il vous donne sont scientifiquement établis sur la recherche et les faits. Le médecin se rend en partie responsable de votre santé et de celle de votre bébé; il est prêt à répondre aux questions que vous lui poserez.

Cours avant l'accouchement

Votre médecin vous apprendra beaucoup de choses au sujet de l'accouchement, mais vous aimerez peut-être en savoir davantage. Dans de nombreuses localités, au Canada, on donne des cours aux femmes enceintes et quelquefois même aux futurs pères. Ces cours comprennent souvent une visite du service de maternité d'un hôpital et ils sont donnés par des infirmières hygiénistes des Services de santé des municipalités ou de ministères provinciaux de la Santé, par des associations d'infirmières visiteuses et, dans certaines régions, par des infirmières attachées aux hôpitaux. Votre médecin, le Service de santé, l'association des infirmières visiteuses ou l'hôpital pourront vous dire si de tels cours se donnent dans votre localité.

Cliniques prénatales

Si vous ne pouvez, au cours de votre grossesse, consulter régulièrement un médecin, profitez des services médicaux offerts dans certaines villes par les cliniques prénatales établies dans les hôpitaux, ou plus rarement dans les cliniques municipales ou provinciales. Adressez-vous au ministère de la Santé, qui vous indiquera si une telle clinique prénatale existe dans votre localité.

Toute mère enceinte a besoin, dès les débuts de la grossesse, d'une surveillance médicale suivie, chez le médecin ou dans une clinique prénatale. Cette surveillance médicale vous donnera une plus grande tranquillité d'esprit, vous assurera une grossesse plus agréable et un bébé bien portant. Peu importe l'endroit où vous habitez et le nombre de vos enfants, consultez le médecin sans tarder, dès que vous vous apercevez que vous êtes enceinte.

CHAPITRE DEUX

Le prodige de la reproduction

Vous voudrez savoir comment votre corps est fait pour la maternité et ce qui s'y passe au fur et à mesure que votre bébé se développe.

Les organes de reproduction

Le corps de la femme est formé, dans sa partie inférieure, d'une charpente osseuse en forme de coupe qu'on appelle le bassin. Celui-ci supporte la colonne vertébrale et est constitué par les os des hanches et par une couche de muscles et de ligaments formant le plancher pelvien. On peut considérer le bassin comme le premier berceau, car le bébé y restera blotti durant les neuf premiers mois de sa vie et de sa croissance.

L'utérus (ou matrice) est situé dans l'excavation du bassin entre la vessie et le gros intestin. C'est un organe musculaire, vide à l'intérieur, qui a à peu près la forme et la grosseur d'une poire et ne pèse qu'une once et demie. L'utérus repose sur le plancher pelvien et se termine par un cône appelé col de l'utérus qui aboutit dans le vagin, c'est-à-dire, le canal par où sort le bébé. À son extrémité supérieure, l'utérus se continue de chaque côté par les trompes de Fallope. Longues de trois à quatre pouces, ces trompes se terminent chacune par un pavillon frangé mobile. Sous chacun des pavillons se trouvent les ovaires, petits organes ayant à peu près la grosseur et la forme d'amandes, qui sont retenus aux pavillons par des ligaments.

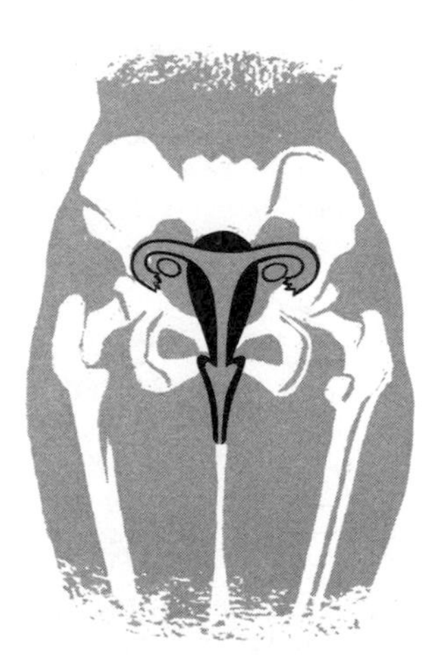

Périodiquement, environ deux semaines avant le début des règles, l'ovaire libère une cellule femelle appelée ovule qui est recueilli par une des trompes et est acheminé vers l'utérus. Durant la formation de l'ovule, la paroi de l'utérus se prépare à le recevoir. Si la fécondation n'a pas lieu, les vaisseaux capillaires de l'utérus se rompent et laissent échapper un flot de sang qui entraîne l'ovule avec lui. C'est ce qu'on appelle la menstruation ou les règles.

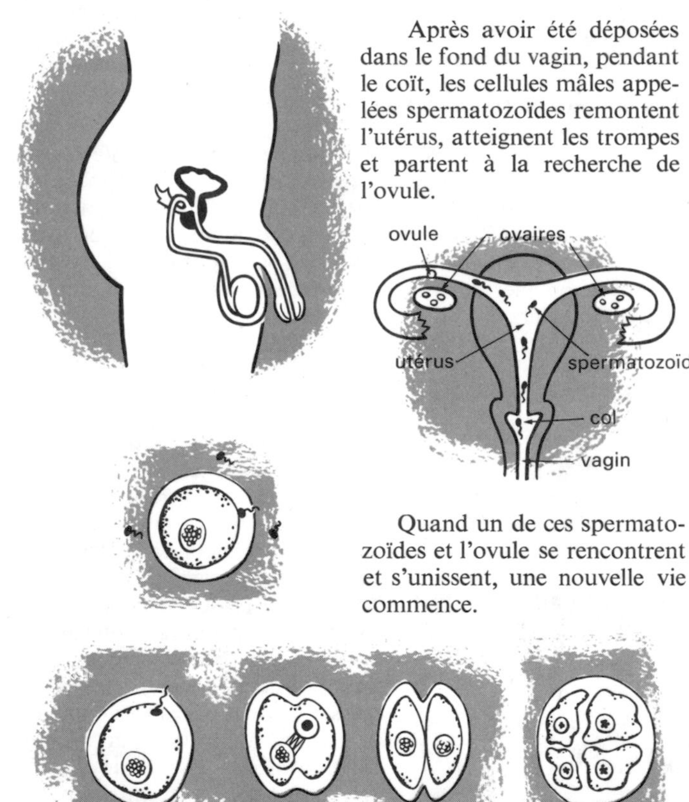

Après avoir été déposées dans le fond du vagin, pendant le coït, les cellules mâles appelées spermatozoïdes remontent l'utérus, atteignent les trompes et partent à la recherche de l'ovule.

Quand un de ces spermatozoïdes et l'ovule se rencontrent et s'unissent, une nouvelle vie commence.

La nouvelle cellule commence immédiatement à croître et à se subdiviser, d'abord en deux cellules, puis en quatre, en huit,

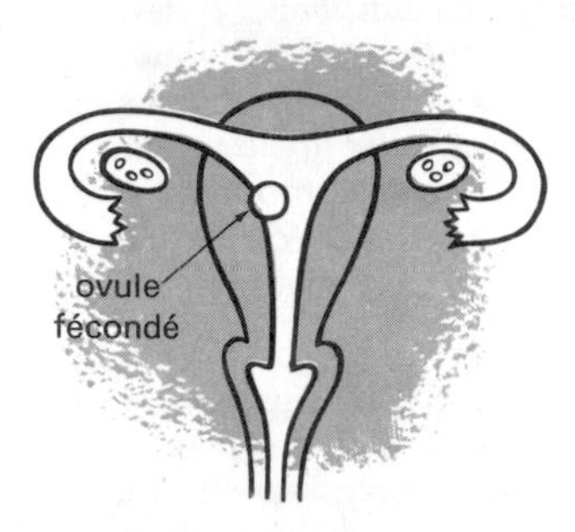

en seize, en trente-deux, et ainsi de suite. L'ovule ainsi fécondé passe de la trompe dans l'utérus pour aller se loger dans la muqueuse utérine toute prête à le recevoir.

À cette cellule microscopique, la nature fera subir toute une série de transformations qui se termineront, en temps voulu, par la naissance d'un enfant.

Habituellement, la mère ne donne naissance qu'à un seul bébé, le produit d'un ovule et d'un spermatozoïde. Mais il arrive parfois qu'au lieu d'un seul ovule, deux ovules ou plus soient libérés et fécondés chacun par un spermatozoïde, ou encore qu'un seul ovule fécondé se divise par la suite en deux ou plus. La mère peut alors mettre au monde deux, trois enfants et même davantage.

Croissance de l'ovule fécondé

L'ovule fécondé ou embryon se développe si vite qu'à un mois il est vingt fois plus gros qu'à l'origine. À six semaines, les membres inférieurs et supérieurs ainsi que la colonne vertébrale commencent à prendre forme et à deux mois on peut les distinguer assez facilement. Le bébé se développe rapidement dans l'utérus (ou matrice) enveloppé dans un sac membraneux qui contient également du liquide. Ce sac s'appelle amnios, ou poche des eaux. Une partie de l'extérieur de la poche adhère à la paroi de l'utérus: c'est ce qu'on appelle le placenta. Son rôle est d'extraire et de filtrer à partir du sang de la mère les

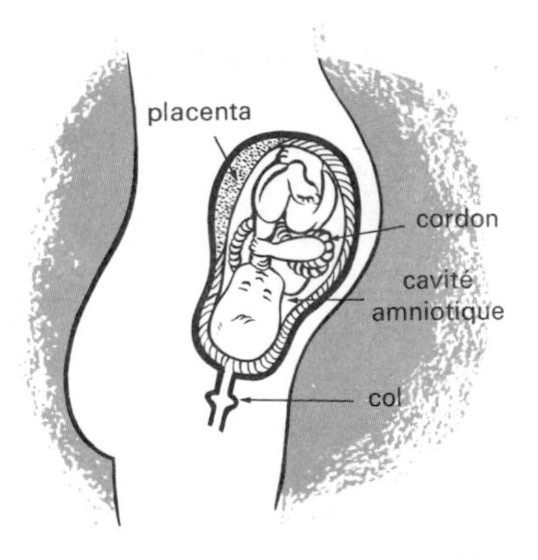

éléments nutritifs nécessaires à la croissance du bébé. Il déverse également dans le sang de la mère les déchets du bébé, sans que jamais le sang du bébé ne se mêle à celui de la mère. Tous les éléments nutritifs de même que les déchets sont filtrés par le placenta à travers lequel passe un tube appelé cordon ombilical rattaché au nombril du bébé. À la naissance, on coupe ce cordon. Un peu plus tard l'utérus expulse le placenta, qu'on appelle parfois le délivre.

Le médecin emploie souvent le terme de foetus pour désigner le bébé dans la matrice. À trois mois, le foetus mesure de 3 à 3½ pouces. Au quatrième mois, le foetus mesure 5 pouces et pèse environ un quart de livre et, au cinquième mois, il triple de poids et atteint trois-quarts de livre. Au sixième et au septième mois, il augmente d'une livre par mois environ; puis son poids s'accroît de plus en plus rapidement. Le poids moyen d'un nouveau-né est d'environ sept livres. À quatre mois et demi, le médecin peut, à l'aide d'un stéthoscope, entendre les battements du coeur. C'est aussi le moment où la mère sent bouger son enfant pour la première fois. Le foetus remuait déjà depuis quelque temps, mais ses mouvements étaient trop faibles pour être perceptibles. Ils deviennent de plus en plus vigoureux à mesure que la grossesse avance et vers la fin de la grossesse non seulement la mère sent les mouvements mais on peut souvent voir bouger le bébé. Un bébé actif ne manque sûrement pas de signaler sa présence.

CHAPITRE TROIS

Les tâches de la femme enceinte

Les neuf mois de la grossesse préparent l'organisme à l'accouchement et préparent la mère à prendre soin de son bébé. L'organisme féminin est constitué pour donner la vie et l'on ne saurait trop répéter qu'une femme enceinte n'est pas une femme malade. Elle a toutefois besoin de soins spéciaux, de surveillance médicale, d'une alimentation suffisante et de périodes d'activité entrecoupées de périodes de repos.

Réactions devant la grossesse

Les femmes ne réagissent pas toutes de la même façon en face d'une grossesse et elles peuvent réagir différemment à différentes époques de leur grossesse. Nombreux sont les futurs pères et mères pour qui la venue d'un bébé constitue une expérience pleine de joie et de bonheur. En se préparant à l'arrivée du nouveau-né, les parents et leurs enfants apprendront à mieux s'apprécier les uns les autres et à goûter davantage la vie familiale. Il y a toutefois peu de femmes qui ne se sentent pas à l'occasion déprimées, irritables, ou même, pleines de ressentiment. Si tel est votre cas, ne soyez pas désemparée. Avant longtemps, vous retrouverez votre bonne humeur et serez de nouveau contente d'être enceinte.

Efforcez-vous de conserver votre bonne humeur durant cette période. Les soucis et l'anxiété gâcheront l'anticipation heureuse que vous devriez ressentir et pourraient modifier votre attitude envers votre famille et même plus tard envers votre bébé. Ils peuvent être la cause de malaises physiques et vous faire perdre le sommeil, troubler votre digestion, ou vous couper l'appétit. Si vous êtes de nature gaie et sereine, vous dormirez bien, vous mangerez de bon appétit et vous pourrez poursuivre la plupart de vos occupations quotidiennes.

Un bon moyen d'éviter les soucis, c'est d'admettre, au départ, qu'il faut ralentir votre activité. Vous aurez besoin de

plus de repos, surtout si, en plus de tenir maison, vous travaillez à l'extérieur. Le monde ne s'écroulera pas si le jardin est négligé, si les draps ne sont pas repassés et si votre mari doit manger les pâtisseries du boulanger. Il y a bien des moyens d'alléger votre tâche. Ne laissez pas votre conscience gâter votre repos à cause de certaines besognes négligées. En général, les femmes jouissent le mieux de leur grossesse si elles s'en tiennent à une bonne hygiène, s'amusent et se divertissent et suivent les conseils de leur médecin.

Des choses à ne pas faire

Tout comme il y a plusieurs façons de rendre agréable le temps de la grossesse, il y a certaines choses que vous ne devez pas faire. Parmi les plus importantes . . .

. . . éviter de fatiguer des muscles non entraînés en accomplissant un travail pénible que vous n'avez pas l'habitude de faire.

. . . éviter aussi une fatigue extrême; ceci vaut pour le travail comme pour les sports. Il est très important d'éviter la fatigue au cours de la grossesse. Cessez de travailler et reposez-vous avant d'être rendue "à bout". La rapidité avec laquelle votre énergie reviendra, si vous n'attendez pas d'être épuisée, vous surprendra.

. . . éviter les grands efforts et prendre garde de ne pas tomber.

. . . éviter de prendre des médicaments ou des remèdes d'usage courant, qui n'ont pas été prescrits ou suggérés par le médecin comme, par exemple, des sédatifs, du bicarbonate de sodium (soda à pâte), des sels.

Le travail quotidien

Si vous avez l'habitude des soins du ménage, il n'y a pas de raison pour que vous cessiez de vaquer à vos occupations; prenez garde simplement à l'excès de fatigue. Arrêtez-vous plus souvent pour prendre un léger repos, surtout si le travail que vous faites exige des mouvements vigoureux et répétés. N'essayez pas de nettoyer et de cirer tous vos parquets le même jour. Asseyez-vous pour repasser.

Contrairement à ce que l'on croit, il n'est pas dangereux d'étendre les bras au-dessus de la tête. Ce qui est dangereux, c'est de faire un effort dans cette posture et risquer ainsi de perdre l'équilibre et de tomber.

Si vous travaillez au dehors, demandez à votre médecin si vous pouvez continuer de le faire. Vous pouvez ordinairement conserver votre situation durant les six ou sept premiers mois, à condition que votre travail ne consiste pas à soulever, à tirer ou pousser de lourds fardeaux, ou qu'il ne produise pas une fatigue trop soutenue.

Si vous travaillez hors du foyer, il sera nécessaire de vous faire aider pour les soins du ménage; vous ne pouvez pas faire tout le ménage, en plus de votre travail à l'extérieur, et vous reposer comme vous le devriez.

La rapidité avec laquelle vous vous sentez fatiguée est la meilleure mesure de l'activité que vous pouvez vous permettre.

Sports et distractions

Imposez-vous comme règle de ne rien entreprendre de nouveau qui pourrait vous fatiguer; évitez de poursuivre trop longtemps la même activité. Si vous avez l'habitude de nager, de jouer au golf, de danser, de patiner ou de faire des promenades, vous pouvez continuer de le faire avec modération.

Évitez tout risque de chute ou de blessure et, pour cette raison, abstenez-vous de faire du ski, des plongeons ou du toboggan.

Marcher au grand air est un exercice excellent qui fournit au sang une riche provision d'oxygène. Lorsqu'il fait beau, efforcez-vous donc de faire une promenade suivie d'une période de repos. Une promenade le soir, avant de vous mettre au lit, est un moyen efficace d'assurer un sommeil réparateur.

Quoi que vous fassiez, ne vous considérez pas comme une invalide et ne prenez pas l'habitude de rester au lit tard le matin et étendue le reste de la journée. La grossesse doit être une période de santé florissante. Vivez une vie normale en ayant soin d'éviter les efforts brusques ou inaccoutumés.

Vous n'avez pas à changer la plupart de vos distractions ordinaires, tout en prenant garde de ne pas vous fatiguer outre mesure. Une simple partie de cartes, si elle se prolonge, peut vous exténuer. Cela vous fera du bien de fréquenter vos amis, de jouer aux cartes, d'écouter la radio, de regarder la télévision, d'aller au cinéma de temps en temps, et de vous livrer à vos

passe-temps favoris; mais, pendant les dernières semaines de votre grossesse, évitez les foules, au cinéma, dans les réunions mondaines ou ailleurs, car vous devez fuir tout risque de contagion ou d'infection. Pendant toute votre grossesse, vous éviterez donc des contacts avec les gens qui ont le rhume, la rougeole, la varicelle ou d'autres maladies infectieuses.

La cigarette et l'alcool

La cigarette et l'alcool ne sont certes pas recommandés à la femme enceinte.

Trop fumer peut influer sur la santé de votre bébé et les médecins ont remarqué que les femmes qui fument au cours de leur grossesse, ont souvent des bébés prématurés. Si possible cessez complètement de fumer.

L'alcool peut vous procurer un faux sentiment de sécurité et vous inciter à négliger votre santé, à vous mal nourrir, à vous coucher tard ou à courir d'autres risques qui peuvent mettre le bébé en danger. Mais si vous en avez l'habitude, l'alcool en faible quantité ne vous fera probablement pas de tort.

Voyages

S'il vous faut absolument voyager, assurez-vous les meilleures conditions possibles de confort et ménagez-vous des périodes de repos. Ne vous pressez pas, ne portez pas de valises. Évitez les longues randonnées fatigantes en auto, sur des routes cahoteuses; la trépidation peut provoquer des contractions musculaires et, vers le troisième et quatrième mois surtout, provoquer, chez certaines femmes, une fausse couche. Vous ne pouvez savoir à l'avance si vous êtes prédisposée aux fausses couches, donc, ne courez pas de risque. Si vous voyagez à la fin de votre grossesse, vous aurez peut-être à accoucher dans une ville étrangère, sans le secours de votre médecin. Discutez avec lui vos projets de voyages.

Mesures de santé

Repos: Vous aurez besoin de plus de repos, plus fréquemment qu'à l'ordinaire. Beaucoup de femmes sont somnolentes durant les premiers mois de leur grossesse; elles tombent de sommeil le soir et dorment une ou deux fois durant la journée. Si vous ne pouvez dormir, au moins détendez vos muscles et votre esprit plusieurs fois par jour, de préférence après chaque repas, durant au moins une demi-heure.

Ce repos supplémentaire est indispensable à votre organisme qui doit fournir un surplus de travail. Pour bénéficier pleinement de votre repos, apprenez à vous arrêter avant d'être épuisée, car les muscles ne se détendent pas tout de suite après une trop grande activité. Dormez au moins huit heures chaque nuit.

Rapports sexuels: Il est inutile de changer vos habitudes sur ce point à moins que le médecin ne vous donne des instructions spéciales ou que les rapports ne causent des douleurs, des malaises ou des pertes anormales. Il vaut mieux s'abstenir de rapports sexuels durant les quatre dernières semaines de la grossesse, en raison des douleurs que certaines femmes en éprouvent et par crainte d'une rupture de la poche des eaux, ainsi que durant les six premières semaines après l'accouchement.

Bains: Durant la grossesse, les pores de la peau sont plus actifs que de coutume. Ils rejettent les déchets et soulagent d'autant le travail des reins, ce qui explique la tendance à transpirer beaucoup plus que d'habitude. Pour bien fonctionner, les pores de la peau doivent rester libres d'impuretés. Prenez donc chaque jour un bain tiède, ni trop chaud ni trop froid. Le bain, pris le soir, détend les nerfs fatigués et favorise un sommeil paisible. Il existe de nombreux désodorisants efficaces que vous voudrez utiliser.

Ne vous donnez pas d'injections vaginales sans l'avis du médecin, mais lavez tous les jours vos parties génitales à l'eau et au savon pour les débarrasser de certaines sécrétions. Avertissez votre médecin en cas de pertes blanches anormales ou irritantes.

Après le huitième mois, cessez de prendre des bains et faites vos ablutions à l'éponge ou prenez une douche. Votre lourdeur accrue peut vous rendre maladroite et vous risquez de glisser et de tomber en entrant ou en sortant de la baignoire. Il est prudent de placer un tapis de caoutchouc dans la baignoire avant d'y entrer.

Modifications de la peau: À mesure que vous prenez du poids, la peau distendue du ventre, des seins et des cuisses peut se couvrir de lignes rosâtres. Ces lignes occasionnent parfois une démangeaison ou une sensibilité superficielle; un léger massage à l'huile chaude vous soulagera. Après la naissance du bébé, lorsque votre poids redevient normal, ces lignes rosâtres blanchissent et deviennent presque imperceptibles. On les appelle vergetures.

Il se peut que des taches brunes apparaissent sur la figure ou sur les mains. Ne vous en inquiétez point car ces taches disparaîtront après l'accouchement.

Soin des seins: Dans votre état, il est essentiel que le sang circule librement dans les seins; ne portez donc aucun vêtement qui les comprime et entrave la circulation, mais soutenez-les par un bon soutien-gorge. Les mamelons devraient être lavés, chaque jour, avec un morceau de tissu doux et de l'eau tiède. À partir du quatrième mois, un liquide incolore commence quelquefois à suinter des mamelons. Ceci indique que vos seins commencent à produire du lait. Posez un petit carré de gaze sur les mamelons pour ne pas tacher vos vêtements.

Vous aurez peut-être remarqué que le cercle autour des mamelons devient plus foncé; c'est tout à fait normal. Si vos mamelons sont aplatis ou rentrés, demandez à votre médecin si vous pouvez y remédier afin que votre bébé puisse téter sans trop d'efforts.

Hygiène de l'intestin: La régularité des selles est importante pour l'élimination des déchets des organismes de la mère et de l'enfant. Il faut éviter la constipation qui peut entraîner le développement d'hémorroïdes. Pour faciliter la régularité de l'intestin, ayez une alimentation saine, buvez des liquides en abondance et prenez suffisamment d'exercice et de repos.

Les aliments recommandés aux personnes sujettes à la constipation sont le pain de blé entier, le gruau de son ou d'avoine; les légumes verts comme la laitue, les épinards, le céleri; les fruits tels que les pruneaux, les abricots, les figues, les dattes, les raisins secs, les oranges et les pamplemousses.

Ne prenez pas de laxatifs sans avoir consulté votre médecin.

Hygiène des reins: Durant la grossesse, les reins travaillent davantage et il faut les aider autant que possible. La transpiration contribue à l'élimination des déchets; il faut donc garder la peau nette et éviter de porter des vêtements serrés. Buvez beaucoup d'eau. Au cours de vos visites, le médecin analysera régulièrement votre urine.

Hygiène dentaire: En plus de faire traiter vos dents par le dentiste, prenez-en bien soin vous-même en les brossant aussitôt après avoir mangé. Il ne suffit pas de se brosser les dents matin et soir pour empêcher la carie. Il faut se brosser les dents dans les vingt minutes qui suivent le repas, car c'est à ce moment que les acides qui causent la carie sont le plus actifs.

Il arrive assez souvent que les gencives rougissent et saignent plus facilement au cours de la grossesse, mais on peut remédier à l'inflammation des gencives en attachant plus d'importance à l'hygiène de la bouche et en ne manquant jamais de se brosser les dents avec une brosse douce aussitôt après avoir mangé. Si vous souffrez des gencives, ne manquez pas d'en avertir votre dentiste et votre médecin.

Hygiène des pieds: Vos pieds se fatiguent (particulièrement vers la fin de la grossesse alors que vous êtes plus lourde) et ils peuvent enfler ou transpirer beaucoup. Pour vous soulager, lavez-les tous les jours dans de l'eau chaude et essuyez-les avec soin. Des massages légers activent la circulation du sang. Lavez vos bas quotidiennement.

Vous serez bien plus à l'aise si vous adoptez pour toute la durée de votre grossesse une seule hauteur de talons: de préférence des talons bas ou de hauteur moyenne. Passer alternativement des chaussures à talons hauts aux pantoufles fatigue inutilement les muscles du pied et cause souvent des crampes ou des douleurs dans le dos. Les talons pointus risquent de se prendre dans des rainures et provoquer des chutes. Ne portez pas de jarretières: elles entravent la circulation du sang et peuvent causer ou aggraver des varices.

De nos jours, il est facile de se procurer d'élégantes robes de maternité confortables, ou encore d'obtenir des patrons pour les confectionner. Vous voudrez paraître élégante même si votre ligne a changé.

Il est important de porter un bon soutien-gorge dès le début de la grossesse. Vous vous apercevrez bientôt qu'il vous faut un soutien-gorge plus grand. Votre buste grossira encore quand vous allaiterez. Vous pouvez même acheter pendant la grossesse, des soutiens-gorge de nourrice. Votre médecin pourra vous aider à décider si vous avez besoin d'une gaine. Si vous avez besoin d'un corset-maternité spécial, faites-le ajuster par une corsetière expérimentée qui vous indiquera la meilleure façon de le porter.

Un foyer propre et sans danger pour bébé

C'est le moment de regarder d'un autre oeil votre maison, le futur royaume de votre bébé. La propreté et les précautions contre les dangers d'infection prennent une importance nouvelle alors que vous vous apprêtez à accueillir un petit être fragile. Demandez à votre mari de vérifier les couvercles des poubelles et l'état des moustiquaires, et de faire disparaître toutes les ordures ménagères accumulées qui risqueraient d'attirer les mouches et autres insectes. Si vous avez un jardin, choisissez d'avance le petit coin ombragé où vous placerez le landau de bébé.

On doit donner à bébé sa propre chambre, si c'est possible; sinon, il faut placer son lit dans un coin convenable d'une chambre à coucher. Bébé doit dormir dans un endroit ensoleillé, mais muni de stores, que l'on peut aérer sans faire de courants d'air.

Si vous avez déjà d'autres enfants, confiez-leur vite votre secret; n'attendez pas qu'ils découvrent par la conversation des adultes que vous attendez un nouveau bébé. Partagez votre heureuse attente avec vos autres enfants; c'est le meilleur moyen de les convaincre qu'ils garderont toujours leur place dans votre coeur et d'éviter des jalousies inutiles. L'attente d'un nouveau-né intéresse la famille tout entière.

CHAPITRE QUATRE

Aliments essentiels

Votre alimentation avant et pendant la grossesse est des plus importantes pour vous-même et pour votre bébé. Aucun autre facteur n'influera davantage sur votre santé et sur celle de votre enfant. De façon générale, une alimentation saine vaut, à votre enfant, de bons os et de belles dents, et lui permet de mieux lutter contre l'infection. Une saine alimentation vous garde en bonne santé et, dans certains cas, améliore votre état mental ou physique, aide à combattre l'anémie, la fatigue, la toxémie, et facilite l'allaitement de l'enfant.

Le meilleur moyen de vous assurer une bonne alimentation, c'est de manger des repas qui renferment une grande variété d'aliments choisis. Ceci est très important à partir du début, jusqu'à la fin de votre grossesse et même pendant l'allaitement. À mesure qu'avancera votre grossesse, vous aurez peut-être besoin de plus d'aliments, mais le choix sera le même.

Parlez à votre médecin de vos besoins alimentaires et suivez ses conseils. Il vous dira que votre régime alimentaire de base, pendant cette période, est celui que devraient suivre à l'année longue tous les membres de votre famille. On le désigne du nom de "Guide alimentaire canadien", que vous trouverez ci-après:

GUIDE ALIMENTAIRE CANADIEN

Ces aliments sont bons à manger.
Consommez-en tous les jours pour votre santé.
Prenez trois repas par jour.

LAIT

Enfants (jusqu'à 11 ans environ)	2½	tasses (20 on. liquides)
Adolescents	4	tasses (32 on. liquides)
Adultes	1½	tasses (12 on. liquides)
Femmes enceintes ou nourrices	4	tasses (32 on. liquides)

FRUITS

Deux portions de fruits ou de jus de fruits y compris une source satisfaisante de vitamine C (acide ascorbique), par exemple, oranges, tomates, jus de pomme vitaminé.

LÉGUMES

Une portion de pommes de terre.
Deux portions d'autres légumes, de préférence jaunes ou verts et souvent crus.

PAIN ET CÉRÉALES

Pain (avec du beurre ou de la margarine fortifiée).
Une portion d'une céréale à grain entier.

VIANDE ET POISSON

Une portion de viande, de poisson ou de volaille.
Du foie de temps à autre.
Les oeufs, le fromage, les fèves ou les pois secs peuvent remplacer la viande.
En plus, des oeufs et du fromage au moins trois fois par semaine chacun.

VITAMINE D — 400 unités internationales, durant la croissance, la grossesse et l'allaitement.

Étudiez ce guide. Si vous mangez d'habitude selon les indications qui y sont données, il n'y aura que peu de changements à faire à votre régime. Accordez une attention toute spéciale à la quantité de lait que votre régime comporte, au choix de fruits et de légumes, ainsi que des aliments riches en protéines tels la viande, le poisson, les oeufs, le fromage; assurez-vous de prendre la vitamine D dont vous avez besoin.

Si vous avez fait preuve de quelque négligence dans le passé, corrigez-vous et nourrissez-vous mieux, pour votre bien comme pour celui de votre enfant. À moins d'instructions contraires de votre médecin, votre régime quotidien doit comporter les aliments suivants, indiqués dans le Guide alimentaire canadien:

Lait

4 tasses — 32 onces.
Vous pouvez boire du lait entier ou écrémé. Ce dernier contient une quantité inférieure de calories à cause du pourcentage moins élevé de gras; en outre, il ne contient pas de vitamine A. Vous pouvez boire le lait nature ou le prendre sous forme de soupes, de sauces, avec les céréales ou dans les desserts.

Fruits

Une portion de fruits contenant de la vitamine C*, comme l'orange, le pamplemousse, la tomate, ou le jus de ces fruits, ou encore le jus de pomme vitaminé;
et une portion de n'importe quel autre fruit — frais, séché, en compote ou en conserve.

*d'autres aliments renferment de la vitamine C comme les pommes de terre, les choux, les navets, mais il faut alors bien prendre soin de les entreposer, de les préparer et de les servir de façon à ne pas détruire la vitamine C.

Légumes

Une portion de pommes de terre et deux portions de n'importe quel autre légume, de préférence jaune ou vert, et souvent à l'état cru.

Pain et céréales

avec beurre ou margarine enrichie.
Une portion de céréale à grain entier, telle la farine d'avoine, le blé filamenté ou toute céréale enrichie. Lire les étiquettes qui indiquent le contenu des céréales.

Viande et poisson

Une portion de viande, de poisson ou de volaille, ou d'un succédané de la viande, comme les haricots secs, les oeufs et le fromage.
Mangez souvent du foie.
Mangez un oeuf par jour.
Mangez du fromage au moins trois fois par semaine.

Vitamine D

400 unités internationales.

La seule vitamine nécessaire et que l'on ne trouve généralement pas en quantité suffisante dans les aliments, c'est la vitamine D. Il ne faut pas oublier cependant que certains aliments enrichis à la vitamine D sont en vente, comme par exemple, le lait évaporé et la margarine fortifiée. Vérifiez la teneur en vitamine D du produit recommandé par votre médecin ainsi que des aliments enrichis à la vitamine D que vous consommez, afin de savoir si vous en absorbez 400 unités internationales par jour. Il n'est généralement pas nécessaire de dépasser cette limite.

En plus des aliments riches en fer, proposés ci-dessus comme, par exemple, le foie, les autres viandes, les oeufs, les fruits secs, les légumes secs et les céréales de grain entier, le docteur peut vous conseiller un produit contenant du fer. Ne prenez aucun médicament qui ne vous a pas été recommandé par votre médecin.

Ne vous fiez pas à ce que vous entendez à la radio et à la télévision ou à ce que vous lisez dans les journaux et les revues au sujet des aliments spéciaux ou des régimes particuliers, ou encore au sujet de l'utilisation de vitamines et de sels minéraux synthétiques; la meilleure garantie d'une bonne alimentation, c'est un choix judicieux des aliments et une bonne préparation de ces derniers.

Repas agréables

Les repas peuvent être agréables et variés, selon votre imagination, vos préférences et vos moyens financiers.

Voici un modèle de menu qui comprend tous les aliments essentiels et prévoit même quelques "suppléments". Servez-vous de ce modèle pour vous guider dans l'élaboration de votre propre menu. Certaines personnes préfèrent prendre plus que trois repas par jour. De toute façon, il ne faut pas perdre de vue le guide alimentaire quotidien.

Essayez de prendre vos repas à des heures régulières, de les rendre aussi agréables que possible afin qu'ils représentent un moment de détente.

Petit déjeuner	**Dîner (le midi ou le soir)**	**Souper ou dîner**
Agrumes (oranges, pamplemousses) Céréales de grain entier avec lait Oeuf (ou autre aliment riche en protéines) Toast avec du beurre ou de la margarine fortifiée Boisson (lait)	Viande, poisson ou volaille Pommes de terre Légumes Dessert Boisson	Plat spécial riche en protéines (salade, mets en casserole, sandwiches) Légumes ou fruits: (frais, en conserve ou secs) Pain ou équivalent Lait

Exemple de goûters entre les repas:

Matin	**Après-midi**	**Soir**
Toast ou biscuits soda Fromage Boisson (lait)	Galette Jus de fruits	Lait

Les aliments qui figurent au menu indiqué ci-dessus ont été choisis en raison de leur valeur nutritive.

Lait — Fournit les éléments nécessaires à la formation d'os et de dents solides. Les comprimés de calcium ne sauraient remplacer le lait puisqu'ils ne contiennent que du calcium, alors que le lait contient des protéines (nécessaires pour la formation des tissus) et du calcium en plus.

Fruits et légumes — Apportent les vitamines et les matières minérales nécessaires à la vie des tissus du corps humain.

Pain et céréales de grain entier — Constituent une excellente source d'énergie, de certaines vitamines, de sels minéraux et de protéines végétales.

Viande, *oeufs*, *fromage*, *poisson*, *volaille* — Fournissent les matières nécessaires à la formation des muscles et du sang. En plus des protéines nécessaires, les oeufs et la viande que vous consommez tous les jours, et le foie consommé fréquemment vous donnent, ainsi qu'à votre bébé, une partie du supplément de fer dont vous avez tous les deux besoin.

Eau — Il vous faut aussi boire de l'eau. Elle aide la digestion, facilite l'absorption des aliments et l'élimination des déchets. Essayez de boire quelques verres d'eau chaque jour.

Augmentation de poids

Nous l'avons dit précédemment: votre médecin surveillera de près votre poids. Il vous indiquera de combien votre poids devrait augmenter au cours de votre grossesse. L'augmentation se situe entre 15 et 25 livres, à condition que votre poids, au début de votre grossesse, soit normal pour votre taille et votre âge. C'est surtout au cours de la seconde partie de votre grossesse que vous prendrez du poids; cette augmentation se fera graduellement. Une augmentation de poids rapide et très accentuée est anormale. Votre médecin vous prescrira un régime spécial selon que vous souffrirez d'embonpoint ou de maigreur au début de votre grossesse. Lui seul est en mesure de vous conseiller à ce sujet, car lui seul connaît les besoins qui vous sont propres. Pendant la grossesse, une partie de l'embonpoint résulte parfois d'une quantité exceptionnelle d'eau dans les tissus; ceci se traduit par l'enflure des mains, du visage ou des chevilles. Afin d'empêcher cette enflure de se produire votre médecin vous dira peut-être de diminuer la quantité de sel dans vos aliments au cours de la seconde partie de votre grossesse.

Voici quelques moyens de combattre une augmentation de poids excessive:

1° Prenez des portions moyennes ou petites.

2° La consommation totale quotidienne d'aliments aux repas et aux goûters, ne doit pas dépasser ce qui est nécessaire pour maintenir le poids suggéré par votre médecin.

3° Réduisez au strict minimum les "suppléments" qui augmentent l'attrait des aliments mais aussi le nombre de calories. Quelques-uns de ces "suppléments" sont les sauces, les préparations à salades, les galettes riches, les pâtisseries, les desserts, les croustilles, les bonbons, les eaux gazeuses et la bière, le sirop épais sur les fruits en conserve.

4° Donnez aux goûters une valeur nutritive en les composant de lait, fruits, jus de fruits, fromage. Trop souvent les goûters se composent de féculents et de sucreries, aliments riches en calories "inutiles".

5° Remplacez le lait entier par du lait écrémé; compensez la perte en vitamine A, qui en résulte, en consommant des légumes verts et des fruits et légumes jaunes.

Le régime de votre mari

Si vous surveillez votre alimentation et donnez ainsi le bon exemple, il se peut que votre mari mange mieux et, du fait, s'en porte mieux. Il en est de même pour les autres membres de la famille. Une bonne nourriture et une bonne santé contribuent pour beaucoup au bonheur familial.

Commencez par une bonne nutrition

Les médecins trouvent que l'alimentation de certaines femmes n'est pas appropriée avant même la grossesse. C'est au cours de l'adolescence qu'il importe d'apprendre à bien se nourrir. De bonnes habitudes alimentaires sont importantes à toute étape dans la vie, avant la grossesse, pendant la grossesse, au cours de l'allaitement, et après celui-ci.

CHAPITRE CINQ

Relaxation et posture

Les muscles ont tendance à se raidir sous l'effet de la crainte et de l'anxiété; lorsqu'il s'agit des muscles nécessaires au travail de l'accouchement, cette tension peut entraîner une augmentation des malaises qui l'accompagnent. Au cours des dernières années, on a cherché à préparer l'accouchement par une gymnastique de détente et par des exercices respiratoires. Ces exercices de détente, à l'intention des femmes enceintes, font parfois partie des cours avant l'accouchement dont fait mention le chapitre un. Consultez votre médecin si vous désirez vous inscrire à ces cours.

Grâce à cette préparation à l'accouchement, les mères apprennent à se détendre complètement et à exercer et fortifier les muscles qui serviront au travail. Il est plutôt étonnant de constater que peu de personnes savent comment se détendre et cependant, il ne peut y avoir de repos véritable sans détente.

Comment se détendre pour bien dormir

Au début de votre grossesse, vous reposerez ou dormirez confortablement sur le dos, un oreiller placé sous la tête et un autre sous les genoux. Laissez reposer les bras, légèrement repliés, de chaque côté du corps; fermez les yeux et la bouche et

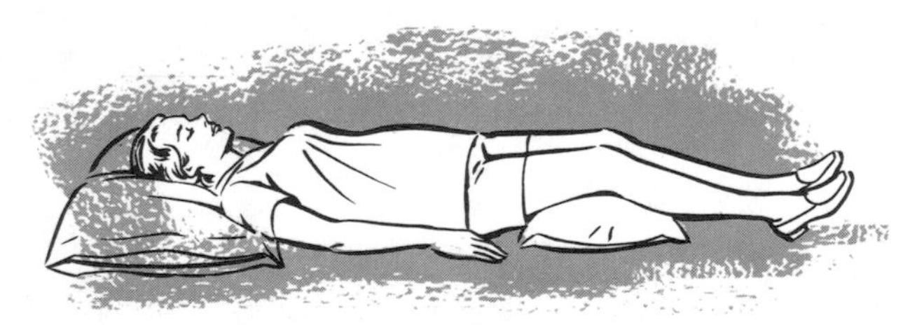

respirez profondément trois ou quatre fois. Puis respirez normalement. Détendez-vous, concentrez-vous sur votre respiration sans penser à autre chose. Une fois bien détendue, vous vous endormirez et vous reposerez mieux. Bien sûr, vous vous déplacerez pendant votre sommeil, mais vos muscles détendus trouveront tout naturellement des positions nouvelles et reposantes.

Lorsque votre grossesse sera plus avancée, vous reposerez mieux sur le côté, de façon que le matelas supporte le ventre.

Votre avant-bras sera replié et le dessus du bras reposera sur l'oreiller placé sous votre tête. Si vous tirez un des coins de cet oreiller vers vous, vous pourrez y placer confortablement votre tête et votre bras. Repliez un peu les genoux et reposez vos jambes sur le lit. Respirez profondément à plusieurs reprises, détendez-vous, puis respirez normalement.

Avant de vous lever après un somme ou un repos, activez votre circulation en vous étirant, en remuant les bras et les jambes et en soulevant votre tête de l'oreiller trois ou quatre fois. Levez-vous lentement, sinon vous risquez d'être prise d'étourdissements.

Si vous avez des varices, ou si vos jambes et vos pieds vous causent des ennuis, vous reposerez mieux en élevant les pieds au moyen d'un oreiller dur ou d'une boîte rembourrée ou même d'un carton d'emballage.

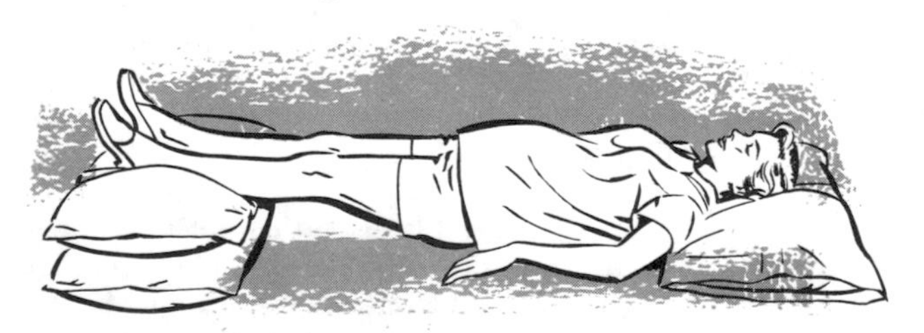

Cette position facilite la circulation dans les veines des pieds et des jambes, qui ramènent le sang au coeur.

Respiration profonde ou complète

La connaissance et la pratique de certains exercices respiratoires au cours de la grossesse rendront le travail plus facile et moins douloureux au moment de l'accouchement. Une respiration profonde ou complète laisse une impression de bien-être et vous aide à vous détendre pendant la grossesse et au moment de votre accouchement.

Couchez-vous sur le dos en position de détente. Exhalez tout l'air contenu dans vos poumons puis fermez les yeux et la bouche, et inspirez profondément et lentement. En plaçant les

mains sur le bas des côtes, vous constaterez que votre cage thoracique se dilate sans que le ventre ne se soulève. Habituez-vous à respirer de plus en plus profondément et longuement, ralentissant ainsi toujours davantage votre respiration. Après avoir respiré ainsi deux ou trois fois, détendez-vous et respirez normalement.

Ce mode de respiration est utile pendant la grossesse, chaque fois que vous éprouvez de la fatigue ou que vous cherchez à vous détendre. Il vous aide aussi au cours de la première phase de l'accouchement puis, pendant la deuxième phase, lorsque vous poussez pour aider les contractions de l'utérus.

Respiration abdominale

La respiration abdominale et la détente complète sont particulièrement utiles au début du travail lorsque le col se dilate et que la mère n'a pas à faire un effort. La respiration abdominale vous permet de détendre vos muscles abdominaux au moment des contractions et ainsi d'atténuer les malaises qui les accompagnent.

Pour pratiquer la respiration abdominale, couchez-vous sur le dos, dans la position de détente décrite ci-dessus. Exhalez

l'air contenu dans vos poumons, puis inspirez lentement et profondément, en permettant à l'abdomen de se distendre. Afin de bien suivre la méthode préconisée, placez la main sur l'abdomen et constatez s'il se soulève lorsque vous inspirez et s'abaisse lorsque vous expirez. Habituez-vous à inspirer puis à expirer de plus en plus lentement. Après avoir ainsi respiré deux ou trois fois, respirez normalement.

Halètement

Inspirez et exhalez précipitamment. Tenez la bouche ouverte et le corps détendu. Ce mode de respiration vous sert surtout à la fin de la deuxième phase du travail, lorsque la tête de votre enfant paraît et que votre médecin préfère que vous n'expulsiez pas l'enfant trop rapidement.

Posture

La posture, c'est-à-dire la position qu'adopte votre corps au repos ou lorsque vous travaillez, a toujours de l'importance. Une bonne posture assure l'équilibre de votre corps qui ne fait pas d'efforts inutiles lorsque vous travaillez. Si vous vous tenez bien, vous serez plus confortable, vous ressentirez moins la fatigue et vous devrez faire moins d'efforts en vaquant à vos tâches quotidiennes. La posture est fonction de la tonicité des muscles, d'où l'utilité des exercices destinés à augmenter la tonicité musculaire. Le travail de maison, bien entendu, constitue un excellent exercice, mais il y a aussi certains autres moyens d'améliorer la tonicité musculaire et, du fait même, votre posture; ceci contribue à votre confort et crée chez vous une impression de bien-être pendant cette période d'attente. Souvenez-vous aussi que de bons muscles, du repos et de la détente vous préparent aux efforts qu'exige l'accouchement.

Station debout — Vous pouvez vérifier la correction de votre posture en vous plaçant devant une grande glace. Écartez un peu les pieds, placez-vous de face, tenez-vous bien droite, la tête relevée, le torse droit, les épaules droites, et détendues. Resserrez maintenant les muscles abdominaux et du siège; vous constaterez que l'avant du bassin se relève. Vous aurez alors une bonne posture, votre épine dorsale sera bien droite et votre bassin en équilibre, de telle sorte que votre poids sera également réparti sur vos deux jambes.

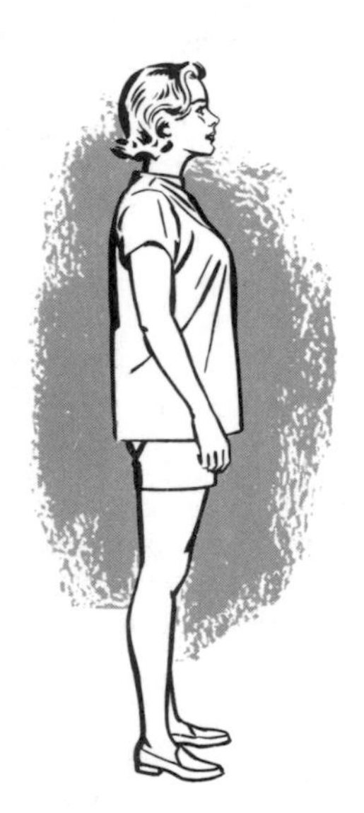

Au fur et à mesure que votre grossesse avancera et que votre bébé prendra du poids, vous serez portée à vous tenir debout ou à marcher en creusant le dos et en portant le bassin vers l'avant. Ne cédez pas à cette tentation; quand vous marchez ou vous vous tenez debout, redressez-vous et resserrez les muscles comme on vous le suggère ci-haut; vous serez alors plus élégante et plus à l'aise.

Station assise — Votre position assise est également importante. Si vous êtes bien assise, votre épine dorsale est droite, votre torse relevé et vos fesses (hanches) appuyées au dossier de la chaise; vos cuisses reposent sur le reste du siège et vos pieds à plat sur le plancher. Placez un coussin dans votre dos afin de vous y appuyer si vos jambes sont trop courtes ou la chaise trop profonde.

Une bonne position assise, bien appuyée et confortable, telle qu'indiquée, vous permet de vous reposer et de vous détendre lorsque vous cousez, lisez, travaillez ou prenez votre goûter de la matinée.

Travail et posture — La position adoptée dans l'exécution de votre travail ou de vos tâches ménagères contribue à votre confort. Une bonne posture et le bon emploi que vous faites alors de vos muscles allègent vos efforts et diminuent votre fatigue.

Ayez une bonne posture lorsque vous êtes debout ou assise, et faites un bon usage des muscles jambiers lorsque vous cherchez à atteindre un objet, vous vous penchez ou vous soulevez quelque chose. Pour placer un objet sur une étagère située au-dessus de votre tête, assurez-vous tout d'abord que vous avez une bonne posture, face à l'étagère; avancez légèrement un pied afin de vous placer en meilleur équilibre; puis sur la pointe des pieds, levez l'objet et placez-le sur la tablette.

N'essayez pas de placer des objets lourds sur les étagères ou dans des endroits élevés. Demandez à quelqu'un de le faire pour vous.

Adoptez de préférence une position accroupie plutôt que penchée pour ramasser quelque chose. Ramenez les talons ensemble, puis, le dos droit, fléchissez les hanches et les genoux afin d'atteindre l'objet que vous désirez ramasser. S'il s'agit d'un objet lourd ou encore d'un enfant, rapprochez-le de vous, tenez-le solidement, après quoi, le dos bien droit, soulevez-le en vous redressant à l'aide des muscles jambiers. C'est très facile. L'effort porte alors sur les muscles des jambes et non sur le dos.

Pour prévenir les maux de dos et diminuer les efforts, il est préférable de s'accroupir plutôt que de se pencher. L'accroupissement présente aussi un autre avantage pendant la grossesse, surtout si vous vous placez les jambes comme l'indique la gravure, de sorte que les muscles intérieurs de la cuisse, et le bassin, soient tendus. Ceci assure une bonne tonicité aux muscles utilisés au moment de la naissance de votre bébé; vous pourrez alors adopter plus facilement la position requise au moment de l'accouchement.

Il est bon aussi de s'asseoir à l'indienne: (par terre, les genoux repliés, les chevilles croisées) cette position augmente également la souplesse des muscles.

Pour changer de position, asseyez-vous par terre, à l'indienne une ou deux fois par jour; vous pourrez ainsi lire, ou coudre; doucement, avec les mains, appuyez sur vos genoux en les poussant vers le plancher. Ne forcez pas vos muscles, ne les tendez pas trop non plus. Une ou deux minutes consacrées à cet exercice suffisent.

Ces postures, accroupie et à l'indienne, ne sont pas des exercices proprement dits de culture physique, exigeant des changements brusques de position comme les exercices amaigrissants. Il suffit que vous adoptiez ces positions pendant quelques minutes chaque jour pour en retirer des avantages.

Nous vous indiquons ci-après deux moyens de diminuer ou d'empêcher les maux de dos.

Relaxation *sur le dos* — Couchez-vous sur le dos, sur une surface solide; repliez les genoux mais ne levez pas les pieds.

Resserrez les muscles du ventre et des fesses. Ceci fait basculer le bassin, redresse votre épine dorsale de sorte que votre dos est bien droit sur le matelas.

Gardez cette position, puis détendez les muscles. Répétez cet exercice de contraction et de détente des muscles, à un rythme lent et régulier, quatre ou cinq fois avant une période de repos ou à l'heure du coucher.

Relaxation *sur les mains et les genoux* — Mettcz-vous à genoux, les mains sur le plancher. Redressez les coudes; ayez les mains vis-à-vis des épaules et les genoux vis-à-vis des han-

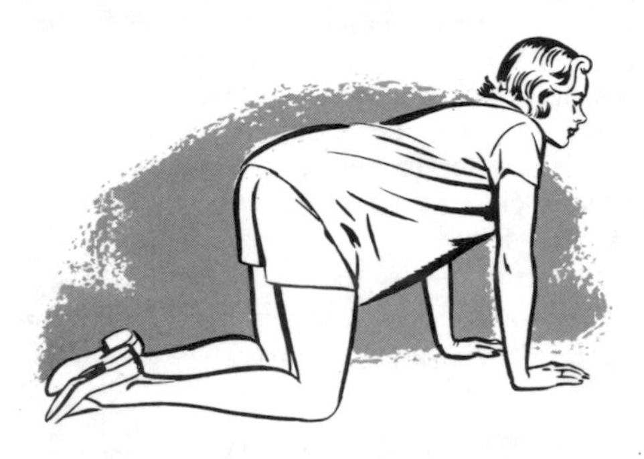

ches, les jambes écartées. Resserrez ensuite les muscles du ventre et du siège. Le bassin bascule sous cette action, et le bas du dos relève. Détendez maintenant vos muscles, tout en gardant votre dos bien droit.

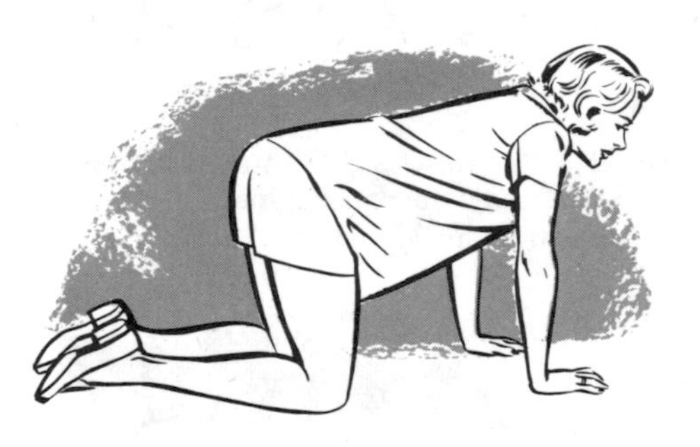

Adoptez cette position pour épousseter, pour laver ou cirer les planchers de cuisine. N'oubliez pas d'arquer le dos, ou de le tenir droit, jamais creux. Une position de dos creux fatigue inutilement vos muscles.

Ne vous inquiétez pas de ne pouvoir adopter toutes les positions suggérées, ayez-y recours quelques fois chaque jour. Ils contribuent à votre confort et vous aident à mieux vous détendre.

CHAPITRE SIX

Quelques troubles courants

Beaucoup de femmes ne se sentent jamais si bien que durant les neuf mois de leur grossesse et elles ressentent très souvent un sentiment de bien-être inaccoutumé.

Il n'y a aucune raison pour que la femme enceinte s'attende à des complications; cependant certains troubles peuvent se produire. Ce chapitre vous dira ce qui peut arriver et si vous devez ou non appeler le médecin en présence de certains symptômes.

Irritabilité nerveuse

Chaque mois, au moment de leurs règles, bien des femmes se sentent déprimées et nerveuses. Nombre d'entre elles prennent des années à se rendre compte pourquoi elles sont soudainement angoissées, irritables et inquiètes; mais elles sont soulagées quand elles savent attribuer ces malaises à l'effet des règles et qu'elles en reconnaissent la courte durée. La plupart du temps, les hommes ignorent la tension nerveuse causée par les règles. Vous avez donc tout à gagner à en parler à votre mari; il aura plus d'indulgence pour votre conduite qui pourrait autrement lui sembler déraisonnable.

La grossesse entraîne parfois les mêmes modifications du caractère. La plupart du temps, de tels troubles sont l'effet d'une santé précaire et c'est pourquoi vous devriez les mentionner à votre médecin qui pourra sans doute vous aider. Il ne faudrait pas que la grossesse soit une excuse pour les sautes d'humeur ou les maladies mais, si vous en comprenez la cause, vous accepterez plus facilement les indispositions légères et maîtriserez mieux vos réactions.

Les femmes enceintes se sentent parfois très déprimées; puis, à un stage plus avancé de la grossesse, elles ressentent un sentiment de bien-être général et une grande énergie. C'est normal. Toutefois, si l'un ou l'autre de ces états se prolonge indûment ou se fait sentir de façon trop prononcée, avertissez-en votre médecin qui vous fera comprendre vos réactions et les moyens de retrouver votre équilibre. Évitez tout surmenage, particulièrement lorsque vous vous sentez débordante d'énergie.

Somnolence

Vous aurez besoin de plus de repos au cours des premières semaines de votre grossesse, alors que votre organisme s'adapte à ses nouvelles fonctions. C'est pourquoi vous vous sentirez probablement somnolente; c'est que vous avez besoin de plus de repos et que vous devez satisfaire ce besoin de dormir. En plus de vos huit heures de sommeil chaque nuit, accordez-vous une demi-heure de repos au moins deux fois au cours de la journée.

Troubles digestifs

Indispositions du matin — Au cours des premiers mois de la grossesse, les nausées et les vomissements sont assez fréquents. Ces indispositions se produisent souvent au lever ou après que vous vous êtes allongée; on les désigne communément sous le nom "d'indispositions du matin". Les nausées peuvent durer toute la journée ou ne se produire qu'à l'occasion.

Le médecin vous indiquera des moyens efficaces de remédier à vos vomissements. Plus vous en retarderez le traitement, plus il sera difficile d'y remédier. Les vomissements continuels peuvent causer des complications.

Abstenez-vous de manger des aliments gras, et évitez les mouvements brusques. Sortez du lit lentement et asseyez-vous une minute ou deux avant de vous mettre debout. Au réveil, prenez un biscuit sec ou une rôtie de pain sans beurre ou encore du thé faible sans lait ni sucre, mais avec du jus de citron.

Restez au lit une demi-heure si possible avant de ne vous lever pour de bon.

Au cours de la journée, prenez des liquides une demi-heure avant les repas plutôt qu'en mangeant. Peut-être aurez-vous moins d'ennuis si vous prenez plusieurs repas légers au cours de la journée, au lieu de trois gros repas.

Vous ne devez pour aucune considération absorber des médicaments sans l'avis de votre médecin, même si ces médicaments ont pu soulager vos amies ou des personnes de votre connaissance.

Brûlement d'estomac — Environ une heure après les repas, vous ressentirez peut-être une sensation désagréable de brûlement à la gorge ou à l'estomac. Cette aigreur résulte d'un excès d'acidité des sécrétions ou sucs digestifs dans l'estomac. Vous pouvez prévenir une telle sensation ou la soulager en évitant les aliments gras ou frits.

En général, mangez moins de graisses, de farineux et de sucre et mangez de petites portions à la fois. Ceci diminue non seulement les brûlements d'estomac, mais aussi l'accumulation de gaz dans l'estomac ou l'intestin, ainsi que la salivation excessive. Ne prenez pas de remèdes pour l'estomac, même pas de bicarbonate de soude (soda à pâte), sans l'avis du médecin.

Varices

Il arrive que les veines des jambes et des pieds se dilatent et se congestionnent. A la moindre indication de gonflement des veines, faites-vous traiter, car les varices négligées peuvent causer plus tard des ennuis sérieux. Les varices peuvent résulter d'une circulation gênée par la matrice gonflée ou par des agents extérieurs comme jarretières rondes, gaine-culottes ou autres vêtements trop serrés. Le port de tels vêtements est à déconseiller au cours de la grossesse.

Si vos veines se dilatent, avertissez votre médecin. Il peut vous conseiller de vous allonger souvent, en soulevant les pieds. Il peut vous proposer de porter pendant le jour des bandes élastiques ou des bas élastiques. Il faut mettre ces derniers avant de vous lever le matin, avant que les veines de la jambe ne puissent enfler.

Crampes

Les crampes aux pieds et aux jambes proviennent du ralentissement de la circulation ou d'efforts musculaires pour maintenir votre équilibre au cours des derniers mois de la grossesse. Les postures et les positions de repos décrites au chapitre 5 vous seront utiles. Votre médecin vous suggérera peut-être des exercices pour les jambes. Si vous n'avez pas de varices, un léger massage vous soulagera probablement. Si vous devez rester debout ou marcher, il est plus confortable de porter des chaussures dont les talons sont d'une hauteur moyenne. Les crampes résultent parfois d'un manque de calcium. Assurez-vous que vous prenez assez de lait, de fromage et de vitamine D.

Hémorroïdes

Les hémorroïdes sont des varices des veines de l'anus et sont généralement une conséquence de la constipation. Elles constituent une autre raison de surveiller la régularité de vos intestins. (Voir au chapitre 3).

Chez la femme enceinte, les hémorroïdes sont parfois dues à la pression qu'exerce sur les veines la matrice plus lourde; elles disparaissent ordinairement après l'accouchement.

Des bains tièdes assez fréquents peuvent soulager et aider.

Un sac de glace ou des compresses froides saturées, soit d'eau ordinaire soit d'un mélange à parties égales d'eau et d'hamamélis (witch hazel), pourront vous procurer un certain soulagement.

Pour soulager la douleur des hémorroïdes, couchez-vous sur le dos, un oreiller sous les hanches. À l'aide d'un tampon d'ouate humecté d'huile minérale, refoulez doucement les varices dans l'anus. Votre médecin pourra vous suggérer d'autres remèdes si vous discutez du problème avec lui.

Pertes

Des pertes blanches durant la grossesse sont normales mais, si elles sont excessives, parlez-en à votre médecin. Ne prenez de douches vaginales que sur l'avis de votre médecin, mais lavez souvent les parties génitales à l'eau et au savon doux, en prenant soin de bien les essuyer.

Les pertes vaginales, entre autres choses, causent très souvent des démangeaisons désagréables (prurit). Lavez fréquemment et baignez ensuite les parties avec une solution composée d'une chopine d'eau tiède et de deux cuillerées à thé de bicarbonate de soude (soda à pâte).

Si les pertes sont jaunes ou verdâtres, elles sont anormales et peuvent résulter d'une infection. Consultez votre médecin. Entre-temps, prenez les précautions ordinaires dans les cas d'infection: jetez les linges qui ont servi à votre toilette intime ou faites-les bouillir, et lavez-vous les mains soigneusement chaque fois que vous allez aux cabinets.

Hémorragies vaginales

Les pertes rougeâtres sont anormales car les règles devraient cesser complètement. Toutefois, un petit nombre de femmes ont de légères pertes sanguinolentes pendant quelques mois, au moment où elles auraient eu leur règles. Dès que vous constatez des pertes rougeâtres, faites venir votre médecin et restez au lit, dans la plus grande immobilité possible. Conservez les linges souillés pour les montrer au médecin; ils peuvent l'aider à évaluer la gravité de l'hémorragie.

Si l'hémorragie persiste et si vous souffrez de crampes, couchez-vous sur le dos, sans oreiller. Faites soulever le pied du lit mais, si vous êtes seule, n'essayez pas de le faire vous-même.

Toxémie

La toxémie est une intoxication générale qui, chez une femme enceinte, accompagne habituellement un mauvais fonctionnement des reins mais dont on ignore la cause véritable. C'est justement pour prévenir la toxémie que le médecin examine vos urines, mesure votre tension artérielle et surveille votre poids régulièrement. La toxémie peut débuter lentement et sans symptômes manifestes, mais votre médecin qui vous voit fréquemment la découvrira à son début et préviendra des troubles graves.

Voici quelques-uns des symptômes d'une toxémie possible; si vous les ressentez, avertissez immédiatement votre médecin.

1. Augmentation subite de poids:

Pesez-vous vous-même une fois par semaine. Vous devriez prendre du poids graduellement, surtout au cours de la seconde moitié de votre grossesse.

2. Maux de tête:

Rapportez à votre médecin les maux de tête violents et prolongés. Malgré les vives douleurs, ne prenez aucun médicament pour vous soulager. Apportez un échantillon d'urine, de préférence un échantillon prélevé le matin, en allant voir votre médecin.

3. Enflure (Oedème):

L'enflure des mains et du visage est particulièrement significative mais ne négligez pas de signaler aussi l'enflure des pieds et des chevilles à votre médecin. Vous pouvez vous sentir la peau du visage tendue et avoir les yeux pochés, ou vos bagues peuvent vous sembler trop serrées. Si une enflure quelconque s'accompagne de maux de tête, appelez immédiatement votre médecin. Ne prenez ni sel, ni médicaments tant que le médecin ne vous aura pas examinée.

4. Troubles de la vue:

La toxémie peut aussi se manifester par une vision embrouillée et des points noirs mobiles devant les yeux.

5. Troubles digestifs:

Les nausées, les vomissements et les douleurs au creux de l'estomac accompagnent souvent la toxémie.

6. Diminution de la quantité d'urine:

Vous constaterez peut-être une diminution de la quantité d'urine.

Si vous ressentez l'un ou l'autre de ces symptômes de la toxémie, votre médecin vous prescrira probablement un régime spécial. Vous craindrez peut-être que la quantité d'aliments permise ne sera pas suffisante pour garder vos forces. Peu importe, suivez les conseils du médecin.

Immobilité du bébé

Une fois que vous aurez senti remuer votre bébé, vous continuerez de percevoir ses mouvements plusieurs fois par jour. Si les mouvements cessent durant un jour ou deux — ce qui est rare — avertissez promptement votre médecin.

Quand faut-il appeler le médecin

Il n'est pas agréable de déranger un médecin pour se faire dire que tout est normal; d'autre part, votre médecin tient à connaître tout signe anormal. Certains symptômes doivent être confiés au médecin, en dehors des visites régulières. En voici les plus importants qui doivent être signalés immédiatement:

1. Toute maladie accompagnée ou non de fièvre.
2. Maux de tête, étourdissements et vue embrouillée.
3. Enflure des pieds, des mains et du visage
4. Augmentation soudaine de poids.
5. Vomissements.
6. Douleur dans l'abdomen.
7. Écoulement vaginal coloré.
8. Hémorragies vaginales.
9. Envies fréquentes d'uriner et sensation de brûlure.
10. Rupture de la poche des eaux. Cette rupture se manifeste par l'écoulement abondant d'un liquide aqueux et c'est le signe d'un accouchement proche, même si les contractions de l'utérus n'ont pas commencé. Ceci indique que votre bébé va probablement naître bientôt; appelez donc votre médecin sans tarder.

CHAPITRE SEPT

Le trousseau de bébé

Rien de plus agréable que de préparer le trousseau de bébé. Les magasins offrent des quantités de choses toutes plus jolies les unes que les autres et il est difficile de résister à la tentation de les acheter. Il est sage de commencer par se procurer l'essentiel et de décider ensuite si vous avez de l'argent à consacrer au superflu.

D'abord, le berceau. Il n'est pas nécessaire de préparer un moïse coûteux. Au début, l'enfant n'a besoin pour dormir que d'un petit coin chaud et douillet. Il sera heureux et confortable dans une couchette confectionnée à la maison, par exemple: un panier à linge capitonné, un landau ou un petit lit d'automobile. Une petite couchette présente de multiples avantages. D'abord, vous pouvez y border le tout-petit pour qu'il se sente au chaud et en sécurité et, de plus, ce berceau léger se transporte aisément

d'un endroit à l'autre, au soleil, à l'ombre, dans un lieu bien aéré, c'est-à-dire là où vous le désirez.

Cette première couchette sera déjà trop petite quand bébé aura trois ou quatre mois. L'achat le plus pratique sera alors le lit de 52 pouces dont les côtés se rabattent et dans lequel l'enfant pourra dormir et jouer à l'aise pendant plusieurs années.

Il faut un matelas ferme, trois à six draps piqués, deux toiles caoutchoutées ou de plastique épais (et non pas mince), six petits draps (vous pouvez utiliser des couches les premiers temps) et trois ou quatre couvertures de laine, de flanellette brossée ou en tissu synthétique. Ne mettez aucun oreiller dans la couchette de bébé.

Il faut au tout-petit au moins deux douzaines de couches, trois à six camisoles, quatre à cinq robes de flanellette, ouvrant dans le dos. Il est bon de choisir les vêtements à la taille un an; autrement ces vêtements deviendront vite trop petits. Vous pouvez vous procurer une ou deux paires de couches-culottes ou de culottes de plastique pour certaines circonstances exceptionnelles. Bébé n'a besoin ni de robe, ni de jupon et il ne portera pas de bonnet, de chaussons, de chandail avant l'âge d'un mois ou deux, de sorte que tous ces articles devraient être de la taille six mois ou un an.

De plus, vous pouvez préparer pour bébé un nécessaire de toilette (vous pouvez utiliser en guise de plateau, une plaque servant à la cuisson des biscuits ou un moule à gâteau) qui comprendra un pain de savon doux dans un petit plat, des bocaux couverts pour l'huile, la fécule de maïs ou la poudre, des épingles de sûreté et de la ouate, ainsi que des débarbouillettes et des serviettes.

Vous aurez besoin d'un bain ovale en fer émaillé ou en plastique résistant, d'un seau pour les couches souillées et d'une commode ou d'autre espace pour ranger le linge de bébé. Au nombre des objets que vous pouvez vous procurer à l'avance, on compte la voiture d'enfant, un petit pot de chambre, un siège de toilette et un parc pour enfants; deux biberons de 4 onces et six de 8 onces (pour l'eau, les jus, le lait s'il y a lieu), des couvre-tétines et des tétines.

Pour que votre bébé n'avale ni peluche, ni charpie, lavez les vêtements neufs, les couches et la literie avant de les utiliser.

Rangez le tout longtemps à l'avance dans la "commode de bébé".

Préparatifs pour l'hôpital

De nos jours, la plupart des bébés naissent à l'hôpital; vous devez donc prendre toutes les dispositions nécessaires à cet effet. Environ un mois avant la date prévue pour la naissance de votre enfant, il est sage de placer dans un petit sac de voyage tout ce dont vous aurez besoin à l'hôpital.

Placez dans ce sac votre nécessaire de toilette: brosse à dents et dentifrice, savon et poudre (si vous y tenez), désodorisant, papiers-mouchoirs, cosmétiques, miroir, brosse à cheveux, peigne, lime à ongles, chemise de nuit, liseuse, peignoir (opaque), pantoufles ou chaussures qui soutiennent bien le pied, ceinture sanitaire, papeterie et timbres, ainsi que de quoi lire ou du tricot. Vous pouvez réunir la plupart de ces articles à l'avance.

Préparez les vêtements dont vous aurez besoin pour revenir à la maison et confiez-les à votre époux qui vous les apportera en temps voulu. Préparez aussi les vêtements nécessaires au bébé: couches, camisole, chemise de nuit, chandail, bonnet, couverture ou châle; votre époux apportera le tout à l'hôpital au moment de ramener le bébé à la maison.

Deuxième Partie

La naissance du bébé

CHAPITRE HUIT

L'attente du bébé

Personne ne peut prédire sans faute l'heure, le jour ou même la semaine de la naissance d'un enfant. Malgré l'excellence des

calculs, l'événement peut se produire plus tôt ou plus tard que vous l'espériez, mais n'allez pas vous inquiéter d'un retard. Bien des facteurs influencent le déclenchement de l'accouchement, et la plupart du temps, ils sont indépendants de votre volonté. Votre impatience est légitime, mais c'est s'exposer à une déception que d'espérer la naissance à une date fixée. Certains indices vous indiqueront toutefois la fin de votre grossesse.

Environ deux semaines avant l'accouchement, vous remarquerez des changements marqués dans votre taille s'il s'agit de votre première grossesse. Le bébé descendra dans le bassin et l'utérus s'abaissera. On dit alors que le "ventre tombe". Cette descente vous soulage. Vous digérez et dormez mieux et vous respirez plus facilement. Après le premier enfant, cette descente se produit généralement au moment où les douleurs commencent.

Comme vous le savez, tout au cours de la grossesse, l'utérus se contracte, mais vers la fin de la grossesse, les contractions sont plus prononcées. Vous aurez peut-être des crampes; vous éprouverez un durcissement musculaire ou simplement des malaises au niveau du bas-ventre ou des reins. Vous remarquerez une augmentation de l'écoulement des glaires vaginales. Cet écoulement a pour but de ramollir et de lubrifier le col de l'utérus en vue du passage de l'enfant lors de l'accouchement.

Environ trois ou quatre jours avant la naissance, vous remarquerez que votre poids s'est modifié et que vos vêtements sont plus confortables. Un ou deux jours avant le travail, vous vous sentirez plus énergique et constaterez que votre bébé bouge moins.

Signes du travail

Le travail ne se présente pas de la même façon à toutes les femmes mais au moins un signe ou deux seront évidents. Bien qu'elles soient semblables à celles de la fin de la grossesse, les contractions de l'utérus se produiront à intervalles réguliers et leur fréquence et leur intensité augmenteront progressivement. L'écoulement des glaires vaginales augmentera et sera peut-être teinté de sang. Vous éprouverez une sensation de pesanteur au bas du dos et les mouvements intestinaux seront fréquents et se produiront à des moments inhabituels. Un ou plusieurs de ces signes indiquent le début du travail et vous devez en avertir votre médecin. Il voudra connaître la fréquence des contractions et leur durée. Notez soigneusement la durée des contractions. Pour cela, placez la main sur l'abdomen et prenez note du début et de la fin des contractions. Enregistrez le moment où la contraction suivante commence. Votre médecin décidera du moment où vous devez être hospitalisée.

Lorsque vous entrerez à l'hôpital, vous devrez vous plier à certains usages. Votre époux vous conduira au centre de réception et il faudra compléter des formules d'admission. On vous conduira ensuite à la salle de travail ou, dans certains hôpitaux, à votre chambre. On demandera à votre époux de demeurer au centre de réception pendant qu'on vous préparera à la naissance de l'enfant. Ces soins préparatoires comprennent habituellement le rasage de la vulve, l'administration d'un lavement et un bref examen médical, y compris un examen du rectum.

Une fois cette préparation terminée, vous pourrez vous reposer et vous détendre. Dans plusieurs hôpitaux, le mari peut demeurer avec sa femme au cours de la première phase du travail si des chambres simples ou privées sont disponibles. Si vous désirez que votre mari demeure avec vous, demandez si c'est permis.

Ne consommez pas de nourriture solide lorsqu'approche le moment de l'accouchement, au cas où votre médecin désirerait vous administrer un anesthésique.

Certaines femmes veulent avoir conscience de la naissance de leur enfant tandis que d'autres préfèrent prendre un anesthésique. Votre médecin décidera si vous avez besoin d'anesthésie, ainsi que du genre d'anesthésique. Votre sécurité et celle de votre enfant relèvent de votre médecin, et c'est en vous renseignant auprès de lui que vous saurez quoi prévoir.

La première période du travail

La première période du travail commence au moment où les contractions deviennent régulières et prend fin lorsque le col de l'utérus s'est aminci, et effacé pour laisser passer la tête de l'enfant. C'est la période la plus longue et elle n'exige aucun effort de votre part. Les muscles de l'utérus font tout le travail en se contractant; les intervalles entre les contractions utérines vous permettent de vous détendre et de vous reposer. Au début, les contractions sont légères et durent environ une demi-minute. Elles cessent pour reprendre vingt ou trente minutes plus tard; l'intensité est à peu près la même ou un peu plus forte. L'intervalle qui sépare les contractions passe de vingt à quinze minutes, puis de quinze à dix minutes et ainsi de suite. S'il s'agit de votre premier accouchement, la première période du travail dure généralement de douze à dix-huit heures ou peut-être moins. Dans le cas d'un deuxième ou d'un troisième accouchement, cette période est moins longue.

Dites à votre médecin ou à l'infirmière comment vous vous sentez. Si vous souffrez ou éprouvez quelque malaise, ou que vous êtes incapable de vous détendre et de vous reposer, votre médecin vous prescrira peut-être un sédatif dans le but de faciliter l'accouchement. Vous devez uriner tous les deux heures puisqu'une vessie libre facilite les contractions utérines.

Deuxième période du travail

Après quelques heures de contractions où votre volonté n'a aucune part, vous sentez soudainement un besoin irrésistible de pousser, de forcer. C'est la deuxième partie du travail, au cours de laquelle il faut vous détendre entre les douleurs et pousser durant la douleur. A ce stade, le bébé passe graduellement de l'utérus dans le vagin, vestibule de son monde futur. Après que le médecin ou l'infirmière vous a assurée que le col de l'utérus est suffisamment ouvert, il est bon de respirer profondément au début de chaque contraction, de tenir votre respiration, et de pousser ou de forcer avec la contraction et ensuite de vous reposer.

C'est au cours de cette période qui est beaucoup plus courte que la première que la poche des eaux qui renferme le bébé se rompt et que le liquide s'écoule lentement ou brusquement selon le cas. Cette période se termine par la naissance de votre enfant.

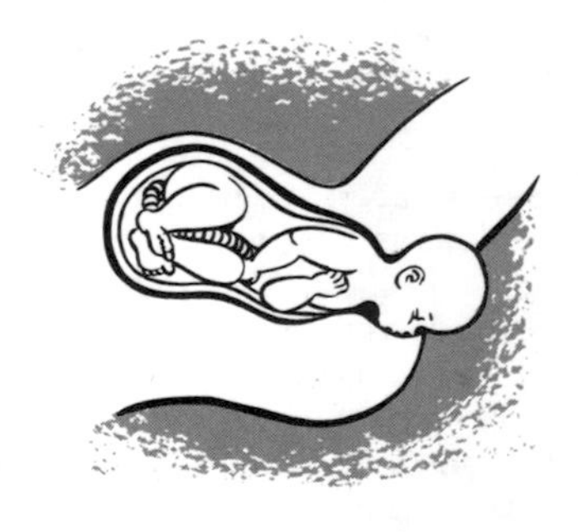

Il est quelquefois nécessaire de faire une petite incision, une entaille chirurgicale pour élargir le passage grâce auquel votre enfant naîtra. Après cette incision et la naissance de l'enfant, des points de suture fermeront l'ouverture. Vous n'éprouverez aucune douleur à ce stade puisqu'on vous administrera un anesthésique. Vous ressentirez cependant certains malaises ou douleurs au fur et à mesure que l'effet de la médication diminuera.

Troisième période du travail

C'est une période très courte qui commence après la naissance de l'enfant et se termine par l'expulsion du placenta. Pendant cette période, l'utérus se contracte et le placenta se détache des parois de l'utérus sans provoquer de douleur. Lorsque ceci se produit, le travail est terminé.

Le travail, processus qui permet la naissance de votre enfant, demande beaucoup d'effort. Au cours de la première période, vous vous détendrez et vous vous reposerez de sorte que les muscles utérins puissent remplir leur rôle. Vous pouvez alors prendre les positions de détente et recourir aux modes de respiration décrits au chapitre Cinq.

La naissance de l'enfant, attendue avec tant d'impatience, marque le point culminant du travail. Vous serez sûrement fatiguée, mais un sommeil réparateur et un bon repos vous permettront de reprendre bientôt vos forces.

CHAPITRE NEUF

Retour à la normale

N'allez pas croire que la naissance de votre bébé vous rend automatiquement telle que vous étiez avant votre grossesse. Vos organes ont passé par toutes sortes de changements et il y aura une période d'adaptation.

Par exemple, la matrice qui pèse environ deux livres se réduira à environ deux onces. Vous en sentirez peut-être les contractions les premiers jours, plus longtemps même, si ce n'est pas votre premier bébé; puis, même si vous ne vous en apercevez plus, la matrice continuera à se rétracter.

Ensuite la muqueuse de l'utérus sera expulsée sous forme d'écoulement sanguinolent durant deux semaines ou plus; cet écoulement pâlira peu à peu. C'est ce qu'on appelle les lochies. Si les lochies dégagent une odeur désagréable, vous devez en avertir votre médecin.

La circulation du sang se réorganise et vos muscles ainsi que vos tissus reprennent leur élasticité.

Pour toutes ces raisons et aussi parce que l'accouchement est une fonction violente, vous avez besoin de repos. Les premiers jours devraient se passer à dormir, à manger et à faire connaissance avec votre bébé. Il est aussi important de vous protéger contre l'infection. Si vous nourrissez votre bébé au sein, les conseils indiqués aux pages 33 et 86 vous seront très utiles.

Repos et sommeil

De nos jours les accouchées quittent le lit beaucoup plus tôt qu'autrefois. C'est un avantage de se lever et de marcher car vos muscles reprendront plus rapidement leur vigueur et vous vous sentirez mieux. Le seul inconvénient, c'est que vous pouvez vous croire plus forte que vous ne l'êtes en réalité. Durant au moins six semaines vous devrez vous reposer beaucoup et dormir le plus possible.

Même si vous êtes désireuse de vous occuper de votre bébé et de reprendre en main le soin de votre maison, ne croyez pas pouvoir reprendre le travail là où vous l'avez laissé, dès votre retour au foyer. Reprenez votre routine quotidienne petit à petit, en vous accordant de courtes périodes de repos plusieurs fois par jour. Peut-être vous sentirez-vous faible ou fatiguerez-vous facilement. Le soin d'un bébé représente un surcroît de travail qui vient s'ajouter à votre tâche quotidienne normale. Si possible, faites-vous aider dans votre travail ménager, sinon négligez pour un certain temps ce qui n'est pas essentiel. De cette façon vous serez en mesure de prendre soin de votre

enfant et de vous reposer suffisamment. Il se peut aussi que votre mari veuille partager le travail de la maison et prendre soin du bébé avec vous.

Les mères qui en sont à leur premier enfant sont souvent toutes surprises, dès qu'elles commencent à prendre soin de leur bébé, de se sentir déprimées, irritables et moroses. C'est une réaction parfaitement normale qui arrive à presque toutes les jeunes mères, et vous pourrez traverser cette période ennuyeuse en sachant qu'elle n'est que transitoire. La plupart du temps, c'est la fatigue qui cause cette réaction émotive. Le repos, le sommeil et la bonne posture peuvent aider à diminuer l'intensité de la fatigue. Essayez d'adopter une bonne posture lorsque vous marchez, ou que vous vous tenez debout ou assise. Au lever, avant de commencer à marcher, étirez-vous et contractez vos muscles abdominaux pour élever et abaisser votre bassin.

Régime alimentaire

Le jour même de votre accouchement, on vous offrira des repas légers, faciles à digérer. Le lendemain, vous vous sentirez probablement affamée; on vous servira de plus grosses portions. À partir de ce moment, mangez d'une façon régulière et suivez le régime indiqué page 38. Cela vous aidera à vous sentir mieux de nouveau.

Si vous nourrissez votre bébé au sein, suivez les mêmes indications fondamentales. Vous n'aurez pas besoin de consommer des aliments spéciaux, mais afin d'avoir suffisamment de lait, buvez beaucoup, y compris au moins quatre tasses de lait par jour, et mangez beaucoup d'aliments riches en protéines, comme les viandes, le poisson, les oeufs et le fromage, ainsi que des fruits et des légumes. Le besoin de vitamine D (400 unités internationales) se continue pendant l'allaitement.

Pour prévenir l'infection

Durant votre séjour à l'hôpital, vous apprendrez les précautions nécessaires pour prévenir l'infection de vos voies génitales et du périnée. Le lavage de vos parties génitales à l'eau et au savon devra se poursuivre lorsque vous serez de retour à la maison. Lorsque vous mettez une serviette hygiénique propre, ne touchez pas avec vos mains la face du linge qui sera en contact avec la peau. L'écoulement vaginal qui se produit après la naissance de votre bébé se continuera de deux à trois semaines. Le retour des règles varie beaucoup d'une femme à l'autre et ne peut être prévue de façon précise.

En général, on recommande les bains dans la baignoire environ une semaine après la naissance du bébé. Ne mettez qu'un peu d'eau et asseyez-vous dans la baignoire plutôt que de vous y étendre. Cela empêchera l'eau du bain de pénétrer dans le vagin et de causer une infection. Assurez-vous que la baignoire est propre avant de vous en servir.

Il est préférable d'éviter toutes relations sexuelles jusqu'à six semaines après la naissance du bébé, et cela pour deux raisons : d'abord pour la douleur qu'occasionneraient les points de suture si vous en avez, ensuite pour éviter toute possibilité d'infection.

Exercices

Alors même que vous êtes encore au lit, commencez certains exercices pour redonner de l'élasticité à vos muscles et reprendre des forces. Il y a encore des femmes qui comptent sur les bandes abdominales pour se refaire la taille, mais en réalité une bande risque d'empêcher les muscles du ventre de reprendre leur élasticité.

À condition que votre médecin soit d'accord, vous pouvez, vingt-quatre heures après la naissance, faire les deux premiers exercices illustrés ci-après et en ajouter d'autres petit à petit. Pendant votre séjour à l'hôpital, l'infirmière ou la physiothérapeute vous aidera en ce qui concerne vos exercices.

Premier jour

1. Couchez-vous sur le dos, les genoux repliés et les pieds posés à plat sur le lit. Gardez vos pieds ensemble. Aspirez profondément puis contractez vos muscles abdominaux à mesure que vous expirez. Détendez-vous. Répétez cet exercice quatre fois, à deux reprises au cours de la journée.

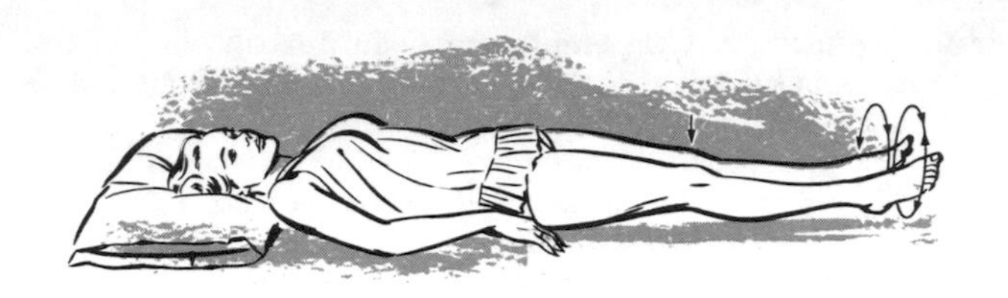

2. Couchez-vous sur le dos, les jambes allongées, les pieds ensemble. Raidissez et étirez vos orteils, puis faites des cercles avec vos pieds, d'abord dans une direction, ensuite dans l'autre. Contractez les muscles de la partie supérieure de la jambe en faisant pression avec vos genoux contre le lit. Répétez cet exercice quelques fois, à deux reprises au cours de la journée. Détendez-vous complètement et reposez-vous.

Deuxième jour

Refaites les exercices 1 et 2, et ajoutez ceux-ci:

3. Couchez-vous sur le dos les genoux repliés, les pieds ensemble sur le lit. Contractez les muscles de la partie inférieure du bassin comme si vous essayiez de retenir un mouvement intestinal. Gardez cette position puis détendez-vous. Répétez cet exercice trois ou quatre fois, à deux reprises au cours de la journée. (Si vous avez des points de suture cela peut être douloureux. Essayez-le une fois ou deux. Laissez passer la journée puis répétez encore le lendemain. C'est un exercice important qui raffermira les muscles de votre bassin).

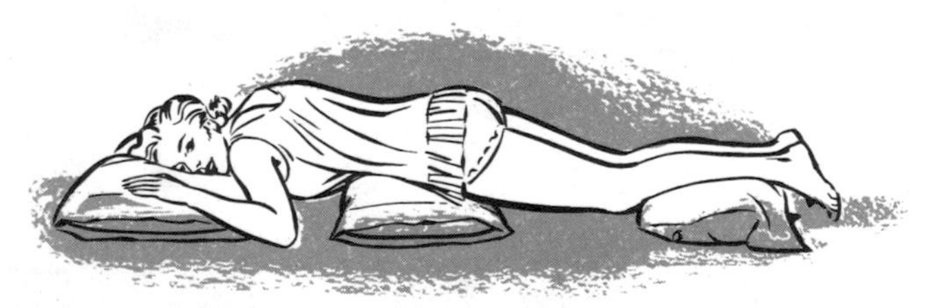

4. Couchez-vous sur le ventre, la tête reposant sur un oreiller; mettez un oreiller sous l'abdomen et sous la partie inférieure des jambes pour réduire la pression exercée sur votre

poitrine et vos orteils. Détendez-vous et reposez-vous environ une demi-heure.

5. Avant de quitter cette position, étirez-vous des pieds à la tête sans creuser le dos.

Position (en dehors du lit) — Surveillez votre posture dès que l'on vous permettra de vous tenir debout et de marcher. Redressez la tête, la colonne vertébrale, et rentrez l'abdomen. En position assise, placez-vous au fond de la chaise, le dos bien appuyé et vos pieds à plat sur le plancher.

Troisième jour

Répétez les exercices 1 à 3, puis ajoutez les suivants:

6. Reprenez la position de l'exercice 1, contractez les muscles de l'abdomen et des fesses et balancez votre bassin vers le haut en avant et vers le bas en arrière. Votre dos doit être bien à plat sur le lit. Gardez cette position quelques secondes puis détendez-vous. Répétez cet exercice trois ou quatre fois, à deux reprises au cours de la journée.

7. Reprenez l'exercice 6 et lorsque le bassin se balance vers le haut, pointez les bras vers les genoux, soulevez la tête et les épaules, et essayez de toucher à vos genoux (ne tenez pas vos genoux). Assurez-vous que vos muscles abdominaux sont contractés et que votre ventre est plat. Si le ventre tombe, ne soulevez pas la tête et les épaules, mais reprenez l'exercice 6 jusqu'à ce qu'il soit possible de garder le ventre plat. Les jours suivants, essayez l'exercice 7 de nouveau.

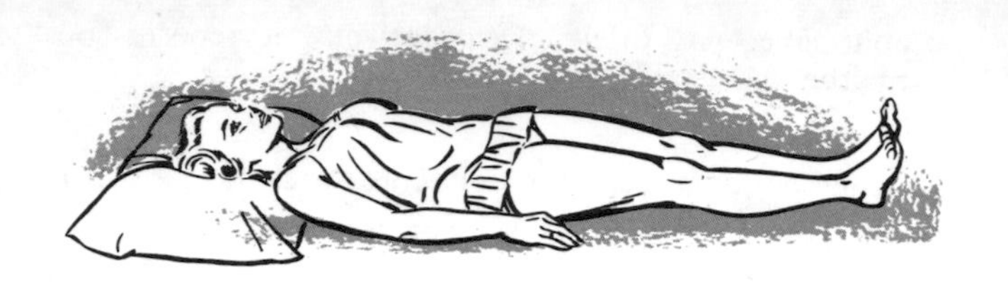

8. Couchez-vous sur le dos, les deux jambes allongées. Contractez les muscles abdominaux, glissez le talon droit vers le haut et le talon gauche vers le bas aussi loin que possible. Reprenez la position première. Détendez-vous. Glissez le talon gauche vers le haut et le droit vers le bas. Reprenez la position première. Détendez-vous. Répétez l'exercice de chaque côté trois ou quatre fois, à deux reprises au cours de la journée.

Terminez avec les exercices 4 et 5.

Quatrième et cinquième jours

Répétez de 1 à 8 en négligeant l'exercice 2. Terminez avec les exercices 4 et 5.

Sixième jour

Comme le quatrième et cinquième jours, puis ajoutez le suivant:

9. Au lever du lit, prenez une bonne posture debout, contractez vos muscles de l'abdomen et des fesses. Les bras allongés le long du corps, pliez le corps d'un côté puis de l'autre. Répétez l'exercice quatre fois, à deux reprises au cours de la journée.

De la deuxième semaine à la fin du mois

Faites les exercices 3, 6, 7, et 8, puis ajoutez le suivant:

10. Couchez-vous sur le dos, les genoux repliés, les bras loin du corps. Remuez le bassin en déplaçant les jambes d'un côté puis de l'autre gardant les pieds sur le lit.

Reposez-vous en position 4 puis étirez-vous.

Durant la journée faites l'exercice 9.

A la fin du mois l'élasticité de vos muscles aura vraisemblablement repris sa condition normale. Sinon, continuez à faire les exercices.

Si, de retour à la maison, vous vous rendez compte que les tâches quotidiennes ne vous permettent pas de consacrer beaucoup de temps aux exercices, essayez de contracter les muscles de l'abdomen et des fesses plusieurs fois par jour et prenez au moins un repos d'une demi-heure couchée sur l'abdomen.

Bref, faites-vous un programme pour la journée.

— au moins huit heures de sommeil
— exercices matin et soir
  une heure complète de repos; une demi-heure dans la matinée et une demi-heure l'après-midi
— bain à l'éponge ou douche quotidienne jusqu'à ce que l'écoulement des lochies diminue; après, un bain tiède avant d'aller à l'heure du coucher
— une demi-heure au grand air dans la matinée et l'après-midi

Examen après la sixième semaine

Votre médecin vous fera subir un examen six semaines après la naissance de votre bébé. Au cours de son examen complet, il fera une analyse de sang pour détecter l'anémie possible et il fera aussi une analyse d'urine. Il vérifiera la position de votre utérus et fera un examen interne pour se rendre compte si le col est normal.

Déclaration de la naissance

Dans la plupart des régions, il faut, dans les trente jours qui suivent, déclarer la naissance de l'enfant. Votre médecin vous dira comment procéder dans votre localité. Vous avez probablement choisi un nom pour l'enfant; sinon, vous pouvez quand même l'enregistrer comme bébé garçon ou bébé fille. Il est de la responsabilité des parents d'enregistrer la naissance de leur enfant. Il ne faut pas négliger ce point car le certificat de naissance est souvent utile au cours de la vie.

Allocations familiales

En plus de déclarer la naissance de l'enfant, vous devriez présenter une demande pour recevoir l'allocation familiale. L'allocation est versée, sur demande, au nom de tout enfant né au Canada, à condition qu'il soit élevé par ses propres parents, des parents nourriciers ou un tuteur. On peut se procurer des formules de demande à tous les bureaux de poste du Canada.

L'allocation familiale est versée à partir du mois suivant la naissance, à condition que le Directeur régional des Allocations familiales dans la capitale de votre province ait reçu, dans les trente jours suivant la naissance, la formule de demande dûment remplie; sinon l'allocation est versée à partir du mois suivant la réception de la demande. L'allocation est de $6 par mois jusqu'à ce que l'enfant ait dix ans; ensuite, de $8 par mois jusqu'à seize ans. L'allocation est destinée à l'entretien, aux soins, à la formation et à l'éducation de l'enfant.

Lorsque l'allocation familiale cesse, à l'âge de 16 ans, on peut toucher, sur demande, une allocation aux jeunes d'un montant de $10 par mois, pour les enfants qui fréquentent l'école et pour ceux qui ne peuvent pas fréquenter l'école pour raison d'infirmité mentale ou physique. L'allocation aux jeunes cesse d'être versée lorsque l'enfant atteint 18 ans.

Troisième Partie

Le soin d'un bébé normal

CHAPITRE DIX

Le premier mois de bébé

Regardons maintenant votre nouveau-né. Il est petit, plus délicat peut-être que vous ne l'aviez imaginé. Cependant, rappelez-vous que ce petit être est doué d'une forte dose de résistance naturelle et qu'il est loin d'être aussi fragile qu'il en a l'air. Il est assez intuitif pour réagir à tout l'amour qu'il reçoit de ses parents. Les soins que vous lui prodiguez le rendront heureux en dépit de votre inexpérience.

Habituellement, le nouveau-né est potelé. Sa tête est grosse relativement au reste du corps. Elle peut sembler difforme car les os du crâne sont encore mous, ce qui a permis à la tête de se comprimer pour passer plus facilement au moment de la naissance. La compression subie à la naissance peut avoir déformé la tête et causé une légère enflure de la tête et du visage, mais cette enflure disparaît généralement d'elle-même au cours des deux premières semaines.

Les points mous sur le dessus et à l'arrière de la tête ou fontanelles, sont des endroits où les os ne sont pas encore formés. Ils sont recouverts d'une forte membrane et se souderont graduellement. Le point mou à l'arrière de la tête devrait se fermer vers la fin du deuxième mois, celui du dessus de la tête au plus tard au dix-huitième mois. Au début, la tête et le dos de votre bébé doivent être soutenus quand vous le soulevez, car les muscles de son cou et de son dos ne sont pas complètement développés à la naissance. Le nouveau-né pourra soutenir sa tête lui-même quand il aura atteint environ quatre mois.

Un nouveau-né a les yeux gris ardoise ou bleu foncé; ceux-ci ne prendront leur couleur permanente que dans plusieurs semaines, voire plusieurs mois. Le bébé ne voit pas assez bien pour distinguer les objets. Il ne sait pas encore centrer son regard et donne souvent l'impression de loucher. Son nez est petit. Son menton est à peine dessiné et son cou est court. Sa tête et quelques parties de son corps peuvent être recouverts d'un duvet qui disparaîtra plus tard.

La partie supérieure du corps du bébé est mieux développée que la partie inférieure; c'est pourquoi il remue plus les bras que les jambes.

La peau de votre bébé est douce, lisse et sensible et doit être protégée contre le froid et l'irritation. Quelques jours après la naissance, la plupart des bébés sont atteints d'une jaunisse ou coloration jaunâtre de la peau qui peut durer une semaine ou deux. Si cette teinte jaunâtre s'accentue après votre retour de la maternité, consultez votre médecin.

Au cours des premières semaines, il arrive que les seins du bébé enflent et que les mamelles secrètent un liquide. C'est normal et vous ne devez pas les frictionner car vous risqueriez d'irriter les tissus délicats ou de causer une infection. L'enflure disparaîtra d'elle-même dans une semaine environ. Si votre bébé est une petite fille, il peut aussi se produire un saignement vaginal pendant quelques jours.

Habituellement, le cordon qui a été coupé et ligaturé à la naissance, sèche et tombe dans les dix premiers jours. Parfois, le nombril fait saillie. Cette saillie est due à la faiblesse des muscles sous-jacents et disparaît d'ordinaire avec le temps. Si vous constatez une rougeur autour du nombril, c'est peut-être un signe d'infection et vous devez appeler votre médecin.

Un nouveau-né urine dans les premières vingt-quatre heures, généralement dès sa naissance. Ses premières selles sont vert foncé et de consistance goudronneuse; c'est le résidu formé dans les intestins avant la naissance. Après trois ou quatre jours, les selles prendront graduellement la couleur normale jaune clair.

Le nouveau-né tète, pleure et dort. Un bruit soudain le fait sursauter tout comme des gestes brusques. Il aime qu'on le prenne avec fermeté et douceur. Il doit être installé confortablement pour dormir ou manger, être dans un endroit chaud quand vous le baignez ou le changez, et se sentir fermement soutenu quand vous le transportez ou lui donnez son biberon.

Heureusement, la plupart des parents sont en mesure d'obtenir des conseils sur les soins quotidiens qu'ils doivent prodiguer à leur bébé. Dès la naissance, dressez un programme qui comprend l'examen médical régulier de votre bébé, au moins une fois par mois. Vous pouvez vous rendre chez votre médecin, ou encore à une des nombreuses cliniques pour bébés, qui se tiennent dans les unités sanitaires dont sont dotés la plupart des municipalités et villes canadiennes. Les infirmières hygiénistes, à l'emploi des ministères provinciaux ou des services municipaux de la santé ou des sociétés telles que le Victorian Order of Nurses, sont capables et s'empressent d'aider les mamans par des conseils sur les soins et le développement des bébés. Le jeune bébé a peu d'exigences; il a besoin d'aliments, de sommeil, de chaleur, de confort et d'amour.

La nourriture du bébé est si importante qu'elle mérite un chapitre complet, intitulé: "L'alimentation du bébé".

Sommeil

Durant le premier mois de son existence, votre bébé dort la plupart du temps et ne s'éveille habituellement que s'il a faim ou qu'il n'est pas confortable. Il peut s'endormir en prenant son biberon et vous devrez alors l'éveiller en changeant sa position ou en caressant délicatement ses pieds ou ses joues.

Votre bébé doit dormir dans des conditions idéales. Autant que possible, il devrait dormir seul dans une pièce. Quand l'espace manque, certains parents placent le lit du bébé dans une chambre à coucher durant le jour et le transportent dans une autre pièce . . . salon, salle à manger, cuisine . . . durant la nuit. Durant le jour, il est plus commode de le garder près de vous. Veillez à ne pas le déranger durant son sommeil et à ne jamais le laisser approcher par des personnes enrhumées ou souffrant de maladies contagieuses. Évidemment, il faut aussi le protéger contre les mouches, les moustiques ou autres insectes.

Il n'y a pas de "position idéale" pour le sommeil de bébé. Il peut reposer sur un côté ou l'autre, sur le dos ou à plat ventre. On peut faciliter l'évacuation de l'air qu'il a pu aspirer en mangeant, en le couchant sur le côté droit ou à plat ventre. Changez-le de position d'une fois à l'autre; cela lui plaira peut-être.

Incidemment, il n'y a aucun danger qu'un bébé couché sur le ventre puisse étouffer, si son matelas est ferme, son drap bien tiré et s'il n'y a pas d'oreiller dans son berceau. Si un tissu plastique est utilisé pour couvrir le matelas, il faut qu'il soit épais et non pas léger et transparent. Même un nouveau-né peut soulever sa tête et la tourner de côté quand il repose sur le ventre et sur une surface unie et ferme.

Les bébés sont plus sensibles à la chaleur et au froid que les adultes. Évitez les refroidissements quand vous baignez ou changez votre bébé mais veillez à ce qu'il n'ait pas trop chaud durant son sommeil. Quand il dort, il n'a besoin que d'une petite camisole, d'une couche, d'une robe de nuit, et d'une couverture chaude et douce. Quand il fait très chaud, une couche suffit. Ne l'emmaillotez pas; laissez-lui sa liberté de mouvement; aérez suffisamment sa chambre, mais évitez qu'il soit dans un courant d'air. La température idéale de la pièce est entre 65 et 70 degrés.

Le bain de bébé

Votre bébé n'a peut-être pas été baigné durant son séjour à l'hôpital, car certains médecins s'opposent à ce qu'on baigne les nouveau-nés durant leur première semaine. Mais on aura lavé la tête, la figure, les replis du corps et les organes génitaux de votre bébé. À la maison, donnez-lui des bains à l'éponge jusqu'à ce que son cordon ombilical soit tombé et que son nombril soit guéri; alors vous pourrez le laver dans une baignoire de bébé, si vous êtes sûre de bien le tenir. On peut donner le bain, soit le matin, soit le soir. La température de la pièce doit être de 80 degrés environ.

On vous a peut-être donné une démonstration de la façon de baigner un bébé, à la clinique prénatale ou à l'hôpital. Les détails que vous avez retenus et ceux qui suivent vous faciliteront la tâche quand vous baignerez votre bébé pour la première fois.

En premier lieu, lavez-vous les mains et rassemblez tout ce dont vous avez besoin. Assurez-vous que la pièce est chaude et qu'il n'y a pas de courant d'air.

Voici ce qu'il vous faut:

Une table, solide et assez grande pour y déposer tout le nécessaire du bain; assez haute pour que vous puissiez travailler à votre aise.

Un plat ovale ou une baignoire de bébé. Le bain de caoutchouc qui, recouvert, se transforme en une table de canevas sur laquelle on change la couche du bébé, est pratique et populaire. Si vous employez ce genre de baignoire, installez-vous près d'une table où vous déposerez le nécessaire du bain.

Un piqué sur lequel vous couchez le bébé. Vous pouvez employer une couverture repliée ou un piqué ouaté.

Une toile de caoutchouc ou de plastique épais pour protéger le piqué.

Une débarbouillette et deux serviettes de bain, qui doivent être employées pour votre bébé seulement et lavées tous les jours.

Un cabaret (on peut se servir entre autres d'une plaque pour la cuisson de biscuits) contenant ce qui suit:

- Un pain de savon doux dans un porte-savon
- Des bocaux couverts pour la poudre d'amidon, la poudre de talc ou l'huile minérale
- Un bocal couvert pour les épingles de sûreté
- Un bocal couvert pour les tampons d'ouate
- Un sac de papier pour les déchets
- Un seau pour le linge souillé
- Des vêtements propres pour après le bain
- Une couverture propre pour envelopper le bébé

Le bain quotidien a pour but de garder votre bébé bien propre et de le rafraîchir. C'est aussi l'occasion d'éveiller sa curiosité, surtout si le père et la mère partagent ce moment agréable.

L'eau de la baignoire doit être chaude. Servez-vous d'un thermomètre de bain pour vérifier la température qui devrait être de 95 à 100 degrés. Si vous n'avez pas de thermomètre, éprouvez la température de l'eau en y trempant votre coude. La chaleur doit être modérée. Vos doigts ou vos mains ne sont pas assez sensibles pour vous permettre d'apprécier la température de l'eau.

Bain à l'éponge

Ayez à la main: le plat d'eau, le plateau, les serviettes, les vêtements, avant de prendre votre bébé. Asseyez-vous près du plat d'eau, étendez le piqué et une grande serviette sur vos genoux ou, si vous préférez rester debout, étendez le piqué et une serviette sur la table à côté du plat d'eau. Dévêtez votre bébé et enveloppez-le dans la seconde serviette. Lavez-lui la figure (sans savon), puis la tête et le cou. Savonnez votre main et lavez doucement la tête du bébé puis rincez à fond. Le chapeau, c'est-à-dire une région écaillée, jaune et grasse sur le cuir chevelu du bébé risque moins de se développer si la tête du nouveau-né est lavée et séchée convenablement et qu'il n'y demeure aucune trace de savon. Il n'est pas nécessaire de laver les cheveux du bébé tous les jours.

Lavez et essuyez un bras, puis l'autre. Lavez et essuyez une jambe, puis l'autre. Dès que vous avez essuyé une partie, recouvrez-la; n'exposez que la partie que vous lavez. Lavez maintenant le corps et les organes génitaux. Essuyez en épongeant doucement, jamais en frottant.

S'il s'agit d'un garçon qui n'est pas circoncis, ne touchez pas au prépuce. Si le bébé est circoncis, essuyez le pénis délicatement et appliquez de la vaseline tant que cette région n'est pas bien cicatrisée, à moins que votre médecin ne vous ait donné d'autres directives. S'il s'agit d'une fille, assurez-vous que tous les plis et replis de la vulve sont bien nettoyés et asséchés. Examinez le nombril de votre bébé et, au besoin, épongez-le avec de l'alcool afin d'assécher toute moiteur et prévenir ainsi le fongus (excroissance de chair) qui retarde la cicatrisation.

Vous pouvez maintenant appliquer la poudre d'amidon, la poudre de talc ou l'huile minérale ou encore ne rien appliquer du tout. Pour les bébés dont la peau est très sèche, il est sage de les enduire d'huile minérale. Si vous employez de la poudre d'amidon ou de la poudre de talc, appliquez-la avec votre main. Ne saupoudrez pas, de peur que le bébé n'aspire la poudre. Ne laissez jamais de résidus poudreux dans les replis de la peau. Vêtez et nourrissez maintenant votre bébé.

Normalement, le nez, les oreilles et la bouche du bébé ne demandent aucun soin spécial. Si le nez coule, épongez-le délicatement avec un tampon d'ouate humecté d'eau. Les soins du nez doivent se donner en dernier lieu car ils font généralement pleurer les bébés. N'introduisez ni ouate ni bâtonnet ouaté dans le nez du bébé.

Le bain dans la baignoire

Procédez de la même façon que pour le bain à l'éponge. Vous trouverez peut-être plus commode de rester debout. Déposez lentement votre bébé dans la baignoire afin de ne pas l'effrayer et tenez-le fermement d'une main autour de la poitrine tandis que vous le savonnez et le lavez de l'autre. Vous ne devez jamais, pour aucune raison, laisser un bébé ou un jeune enfant seul sur une table ou dans une baignoire, même un seul instant.

Quand votre bébé sera un peu plus vieux, il voudra jouer dans l'eau. Mais, tout jeune, il doit être baigné, asséché et vêtu rapidement pour lui éviter tout refroidissement. Évitez de lui faire sentir que vous êtes pressée et, surtout, n'entreprenez pas de lui donner son bain si vous devez vous hâter ou faire autre chose en même temps. Votre bébé doit considérer l'heure du bain comme un jeu agréable auquel vous devez consacrer toute votre attention.

Tant que votre bébé est tout petit, vous pouvez lui tailler les ongles des doigts et des orteils après son bain. Quand il est un peu plus âgé, cela est parfois plus facile pendant son sommeil.

Vêtements

Les seuls vêtements dont a besoin le jeune bébé sont une camisole, une couche, une robe de nuit et une couverture moelleuse pour l'envelopper. Évitez de l'emmailloter serré et de laisser ses vêtements se ramasser sous lui. Si vous ne voulez pas avoir à changer sa robe de nuit chaque fois que vous changez ses couches, repliez-la à la hauteur de la couche.

Il faut changer sa camisole au moins une fois par jour et plus souvent si elle est mouillée. Vous lui changerez sa robe deux ou trois fois par jour et ses couches au moins une douzaine de fois. Un jeune bébé se mouille si souvent qu'il est inutile de vouloir garder ses vêtements secs en tout temps. Vous le dérangeriez trop en le changeant trop fréquemment. Changez-le quand il pleure, avant et après les repas ou quand vous le prenez pour lui donner de l'eau ou du jus de fruit.

Déposez les couches mouillées dans un seau d'eau jusqu'au moment de les laver. Les couches qui contiennent des selles doivent être rincées dans les toilettes avant d'être déposées avec les autres. Lavez les couches à fond avec un savon doux, jamais avec un détergent, puis rincez-les plusieurs fois pour qu'il ne reste aucune trace de savon. Les couches ne doivent servir qu'à votre bébé. Il est bon de faire bouillir les couches durant cinq minutes, une ou deux fois la semaine. Si la peau de votre bébé est très délicate, ou si vous remarquez une odeur d'ammoniaque quand vous le changez, il sera peut-être nécessaire de faire bouillir les couches tous les jours pour faire disparaître toute trace d'urine ou de savon.

Votre bébé pleurera quand il aura besoin de soins et d'attention. Même tout petit, il recherche l'affection de ses parents, car il a besoin de se sentir aimé et protégé. Pour lui, la sécurité signifie des soins prodigués d'une main douce et ferme, de la nourriture quand il a faim et le confort de sa petite personne.

Vous et votre mari saurez prodiguer tous les soins voulus à votre bébé, même si vous manquez d'expérience. Votre médecin ou une infirmière pourra vous aider si vous avez besoins de conseils.

CHAPITRE ONZE

L'alimentation du bébé

Introduction

Tous les bébés sont un peu différents les uns des autres. Même les jumeaux diffèrent jusqu'à un certain point. Certains bébés sont plus calmes, ont plus d'appétit, ou s'habituent aux nouveaux aliments plus facilement que d'autres. Les conseils contenus dans ce chapitre ont pour but de servir de guide général pour l'alimentation des bébés, mais ne constituent pas le seul guide possible. Il existe d'autres méthodes, et il est préférable de prendre l'avis de votre médecin quant à celle qui convient le mieux à vos besoins et à ceux de votre bébé.

Le nouveau-né possède un réflexe de succion marqué qui fait partie de son système nerveux. Conséquemment, il est parfaitement adapté par nature à l'allaitement au sein ou au biberon, dès sa naissance. Le lait est l'aliment principal de tous les bébés.

À mesure qu'il prend de l'âge, la réserve de substances nutritives dont il a été doté avant sa naissance diminue graduellement, car il emploie cette réserve pour sa croissance. À ce stade, le lait est son seul aliment, mais le lait ne contient pas toutes les substances nutritives spéciales nécessaires à sa croissance. Il faut donc augmenter graduellement ses réserves de fer, de substances nutritives et de vitamines. C'est pourquoi vous devez donner différentes sortes d'aliments à votre bébé à mesure qu'il prend de l'âge. De plus, il est nécessaire de lui donner des vitamines C et D dès son bas âge.

Vers le troisième ou quatrième mois, le bébé a appris le principe de la déglutition, c'est-à-dire qu'il sait comment faire passer les aliments de l'avant à l'arrière de sa bouche en les roulant sur sa langue pour les avaler. Autrement dit, il apprend à avaler des aliments solides. Avant ce stade de développement, vous remarquerez, lorsque vous nourrissez bébé à la cuillère, qu'il tend à la repousser avec sa langue et que vous devez mettre le contenu de la cuillère assez profondément à l'arrière de la langue pour lui faire avaler la nourriture. À mesure que se développe le réflexe de la déglutition, le bébé a plus de facilité à prendre des aliments solides. La plupart des bébés s'accommodent bien des aliments solides, mais ils ne sont pas tous disposés à faire cette nouvelle expérience au même âge. En général, on offre d'abord des fruits et des céréales pour bébés, ensuite des légumes et par la suite de la viande et des succédanés de viande. En général, les bébés qui ont atteint quatre mois acceptent le jaune d'oeuf.

L'appétit d'un bébé varie d'un repas à l'autre, d'un jour à l'autre, et d'un aliment à l'autre. Ne vous inquiétez pas si votre bébé refuse d'abord de prendre un nouvel aliment. Le goût est peu développé chez les bébés. Ils réagissent plutôt à la texture de toute nourriture nouvelle qu'on leur offre. Si votre bébé ne semble pas aimer un aliment, ne lui en servez pas pendant plusieurs jours, puis offrez-lui en de nouveau. Commencez par de très petites quantités . . . des "petites bouchées" au début et augmentez la portion graduellement.

L'heure des repas doit toujours être une période de détente agréable pour la mère et le bébé. Le sommeil, la nourriture et l'affection sont les trois besoins ressentis par le bébé pour une croissance et un développement harmonieux. Au début, votre bébé aura peut-être besoin de nourriture toutes les trois ou quatre heures, y compris un repas vers deux ou trois heures du matin. Petit à petit, il dormira plus longtemps la nuit et ne se réveillera probablement qu'à cinq ou six heures du matin. Ceci prend plusieurs semaines. Nourrissez votre bébé lorsqu'il s'éveille, mais ne le réveillez pas pour le nourrir. S'il a faim, vous le saurez par ses pleurs et son agitation. En temps voulu, votre bébé établira pour les repas un horaire qui satisfera ses besoins. Si l'heure des repas est agréable, votre bébé en ressentira une douce sécurité qui contribuera à son bon développement.

Allaitement au sein

Le lait maternel est destiné spécialement aux bébés et le meilleur qu'on puisse leur donner. Un certain nombre de mamans ne réfléchissent pas suffisamment à la question de l'allaitement de leurs bébés. Il est sage de discuter de l'allaitement au sein avec votre médecin et votre mari avant l'arrivée de votre bébé. Durant votre grossesse vous avez remarqué des modifications des seins, ils sont plus volumineux, et dans les dernières semaines secrètent un peu de liquide. Ces modifications se produisent en vue de l'allaitement de votre bébé. La plupart des mamans qui désirent vraiment allaiter leur bébé s'y préparent et demandent des conseils en égard aux problèmes secondaires qui pourraient se poser. Ces mamans seront de bonnes nourrices et en seront très heureuses tandis que leur bébé en ressentira les précieux bienfaits.

Avantages pour le bébé — Le bébé est assuré ainsi de recevoir toute l'attention maternelle, avec tout ce qu'elle comporte de tendresse. Nourri au sein, il résiste mieux à l'infection, est moins sujet aux troubles d'estomac et à la diarrhée parce que le lait maternel est toujours pur, propre et facile à digérer. De plus, il ne souffrira pas d'allergie au lait de vache, ce qui se produit quelquefois lorsque d'autres membres de la famille sont atteints d'allergies telles que la fièvre des foins ou l'asthme.

Avantages pour la mère — La maman éprouve la satisfaction d'un lien intime avec son bébé et de lui donner ce qu'elle seule peut lui procurer. L'allaitement au sein stimule le retour à la normale de l'utérus et des organes de la reproduction. Il élimine le problème de trouver et de préparer la formule de lait appropriée. L'allaitement au sein exige beaucoup de la maman, c'est-à-dire, empiète sur ses loisirs, mais en fait la plupart des mères préfèrent s'occuper personnellement de leur bébé durant les premiers mois. Elles savent qu'en nourrissant leur bébé au sein, elles lui procurent dès le début la meilleure alimentation possible.

Durant trois ou quatre jours après la naissance de votre bébé, vos seins ne secréteront pas de lait, mais un liquide trouble qu'on appelle le colostrum. Ce liquide a une certaine valeur nutritive et a l'avantage d'être très digestible. Il a aussi un effet laxatif bienfaisant pour le bébé. Ne vous inquitez pas si votre lait n'a pas l'apparence du lait de la crémerie. En fait, il n'aura jamais l'apparence du lait de vache; il a toujours une teinte bleuâtre et cela est naturel.

La première semaine qui suit le retour de l'hôpital est toujours une période critique. La lactation n'est pas vraiment bien établie durant le séjour à l'hôpital et peut diminuer si la mère est trop active, si elle est surmenée et inquiète. La maman doit se reposer longuement la nuit et quelque peu le jour. Un soutien-gorge bien ajusté est essentiel pour le confort de la poitrine. La maman doit continuer à prendre les aliments reconstituants recommandés durant sa grossesse; boire des liquides et surtout du lait afin d'absorber les éléments nutritifs essentiels à la lactation. Si vous gagnez trop de poids, vous pouvez substituer le lait écrémé au lait entier. Vous devez boire de l'eau (environ trois verres) pour remplacer le liquide pris par le bébé. Les aliments qui sont bons pour la maman, produiront du bon lait pour le bébé. Cependant, des aliments nouveaux ou différents pris en de grandes quantités pourraient déranger l'estomac du bébé. Les fruits et les légumes crus doivent être consommés en quantité raisonnable. Le régime de la maman doit comprendre assez d'eau et d'aliments solides pour assurer la régularité intestinale sans l'aide de laxatifs. Si vous souffrez de constipation, consultez votre médecin car certains laxatifs s'infiltrent dans le lait maternel et peuvent être nuisibles au bébé.

Comment nourrir le bébé

Avant de prendre votre bébé, lavez-vous toujours les mains soigneusement. Cela est d'autant plus important avant de le nourrir au sein ou au biberon.

Au lit, appuyez-vous confortablement et tenez le bébé de façon à ce que sa tête repose sur votre bras. Prenez le sein dans votre main afin que bébé puisse saisir aisément le mamelon sans écraser son nez, ce qui l'empêcherait de respirer. Ne vous endormez pas en allaitant: le bébé pourrait alors ne pas manger suffisamment, et il y a toujours danger de l'étouffer quand vous dormez.

Le jour, rien ne remplace un bon fauteuil pour appuyer le bras qui soutient le bébé. Un tabouret sous les pieds ajoute aussi au confort.

Le premier et le deuxième jour, il est sage d'allaiter pendant quelques minutes seulement. Si le bébé tète bien, il obtient toute la nourriture dont il a besoin dans cinq minutes environ. Vos mamelons s'endurciront graduellement et seront moins sujets à devenir sensibles. N'oubliez jamais de vous laver les seins à l'eau claire avant chaque tétée et essuyez-les bien après.

Beaucoup de mamans se découragent dès leurs premières tentatives de nourrir leur bébé. Vous devez vous y habituer tous les deux et cela demande un peu de temps. Si vous êtes en proie à certaines difficultés, consultez votre médecin avant de cesser l'allaitement au sein. Par exemple, si vos seins gercent ou sont sensibles au début, vous pouvez leur appliquer une crème ou un onguent spécial, sur recommandation du médecin. Votre médecin vous conseillera peut-être d'allaiter à l'aide d'un protecteur ou d'extraire le lait à la main et de le donner au bébé dans un biberon bien stérilisé. Le médecin ou une infirmère du service d'hygiène peuvent vous expliquer ce que vous avez à faire dans ce cas. Durant la première semaine, vos seins peuvent devenir durs et douloureux; c'est ce qu'on appelle l'engorgement. Vous pouvez en venir à bout en allaitant le bébé de façon à éliminer le surplus de lait. Si vous avez le rhume ou une autre infection, votre médecin vous conseillera peut-être de porter un masque quand vous allaitez votre bébé et de toujours vous laver les mains soigneusement avant de le prendre ou de le toucher.

À partir de la deuxième semaine, prolongez la période d'allaitement jusqu'à dix ou quinze minutes — rarement plus de vingt. Le bébé peut téter un sein ou les deux à chaque repas. Alternez les seins au début de chaque repas afin que chaque fois l'un d'eux soit complètement vidé. La lactation augmente en comparaison des besoins du bébé. Plus il boit de lait, plus le lait monte.

Somme toute, vous prendrez environ quatre semaines à vous habituer à nourrir votre bébé au sein et à obtenir une lactation suffisante, pendant que votre bébé apprend à boire facilement et à satisfaire son appétit. Durant cette période d'adaptation, vous devez vous reposer autant que possible, suivre un régime bien équilibré, boire en quantité suffisante et vous occuper de votre bébé avant toute autre chose. Le temps que vous lui consacrez vous vaudra bien du contentement par la suite.

Réveillez votre bébé s'il s'endort dès qu'il se met à boire, mais rappelez-vous que son appétit varie d'une tétée à l'autre. Une fois que le bébé tète bien le sein de sa mère, il aura des selles moins fréquentes que le bébé nourri au biberon. Si ses selles sont molles, ne vous inquiétez pas car c'est tout à fait normal.

Allaitement combiné au sein et au biberon

Si votre bébé n'est pas suffisamment nourri, il pleurera entre les repas, il sera irritable et ne prendra pas de poids. Le médecin vous conseillera peut-être de lui donner après chaque tétée, durant un certain temps, un biberon composé d'une formule de lait qui lui convient. Cependant, rappelez-vous que c'est l'allaitement qui fait augmenter la lactation et, conséquemment, évitez de lui donner un biberon trop généreux qui l'empêcherait d'avoir faim au prochain repas. Ce manque d'appétit pourrait tarir votre lait.

Quand la lactation sera normale, vous voudrez peut-être de temps en temps remplacer l'allaitement au sein par un biberon. Cette pratique vous permettra de sortir ou de vous reposer. Donnez toujours vous-même les premiers biberons au bébé jusqu'à ce qu'il y soit habitué.

Allaitement au biberon

Si le médecin vous a conseillé de nourrir votre bébé au biberon, ceci demande autant d'attention que si vous nourrissez au sein. Prenez toujours le temps de témoigner votre tendresse en prenant bébé dans vos bras pour lui procurer le confort et l'affection dont il a besoin. L'allaitement au biberon permet aussi au papa de s'occuper du bébé à l'occasion, ce qui contribue à resserrer les liens familiaux. Quand bébé est tout jeune, ne le laissez jamais boire seul, même en appuyant le biberon sur un objet quelconque, car il peut s'étouffer. De plus, votre bébé est comme tout le monde, il aime la compagnie de ses semblables à l'heure des repas.

Genres de lait

Tout le monde sait qu'il existe plusieurs genres de lait et de formules spéciales de lait pour bébés. Cela démontre que la plupart des bébés s'accommodent et profitent de différentes formules de lait. Toutefois, il est important de consulter votre médecin ou votre service d'hygiène quant au genre de lait de vache que vous devez donner à votre bébé. Nous décrivons ci-après quelques-uns des genres de lait communément employés à l'alimentation des bébés. Ces renseignements vous aideront peut-être dans votre choix.

Vous pouvez employer du lait de vache frais, du lait entier ou demi-écrémé évaporé en boîte, ou du lait entier en poudre. Le lait écrémé en poudre n'est pas recommandé pour les bébés de santé normale, dans les conditions ordinaires.

Le lait de vache doit être pasteurisé. Si vous devez employer du lait nature, vous devez le pasteuriser à la maison. Videz le lait dans la partie supérieure d'un bain-marie après que l'eau de la partie inférieure a commencé à bouillir. Remuez le lait de temps à autre et prenez la température avec un thermomètre de cuisson. Quand le thermomètre marque 170 degrés, enlevez le lait du feu, couvrez-le et laissez-le reposer une minute. Refroidissez rapidement le bain-marie sous l'eau froide du robinet et mettez-le au réfrigérateur. Si vous n'avez pas de thermomètre, amenez le lait à l'ébullition directement sur le feu. Dès que les bulles se forment, enlevez du feu, laisser reposer une demi-minute, refroidissez rapidement à l'eau courante, et mettez la casserole couverte au réfrigerateur. Le refroidissement rapide est important. La pasteurisation détruit tous les microbes dangereux sans réduire la valeur nutritive du lait. Cependant, de nouveaux microbes peuvent quand même s'introduire dans le lait après la pasteurisation; c'est pourquoi il faut stériliser la formule du bébé de nouveau au moment même où on la prépare.

Le lait évaporé ou concentré est souvent employé pour les bébés parce qu'il est toujours frais et exempt de bactéries au moment où l'on ouvre la boîte. Il se digère plus facilement que le lait frais en raison du traitement à la chaleur lors de la mise en conserve. Certains médecins recommandent le lait demi-écrémé évaporé pour un mois ou deux parce que certains bébés digèrent mieux ce genre de lait.

Le lait entier en poudre possède toutes les qualités nutritives du lait frais et il est parfois le seul disponible dans certaines régions éloignées du pays comme le Grand-Nord.

Préparation de la formule

La quantité de lait, d'eau et de sucre que contient la formule, est tellement importante pour un bébé au biberon que vous devez consulter votre médecin ou votre service d'hygiène à ce sujet. Si vous n'êtes pas en contact avec ces derniers, les directives suivantes pourront vous servir de guide. N'hésitez pas à augmenter la formule de votre bébé s'il semble avoir encore faim après les repas. D'autre part, ne le forcez pas à manger davantage s'il est satisfait et s'il prend du poids normalement.

Quand vous utilisez du lait en poudre spécialement préparé pour bébés, suivez les directions données sur la boîte et préparez la même quantité de lait que s'il s'agissait de lait frais entier. Employez du lait entier en poudre; le lait écrémé en poudre n'est pas recommandé pour les bébés de santé normale.

MODÈLES DE FORMULES
pour une journée

Âge du bébé	1 à 2 semaines	3 semaines à 2 mois	2 à 3 mois
	No 1	**No 2**	**No 3**
Quantité totale	18 onces	24 onces	30 onces
Lait frais entier Eau Sucre	12 onces 6 onces 2 c. à table	18 onces 6 onces 2 c. à table	24 onces 6 onces 2 c. à table
Lait évaporé Eau Sucre	6 onces 12 onces 2 c. à table	9 onces 15 onces 2 c. à table	12 onces 18 onces 2 c. à table
Nombre de biberons	8 de 2¼ onces ou 6 de 3 onces	6 de 4 onces ou 5 de 5 onces	5 de 6 onces ou 4 de 7½ onces

Durant le premier mois, votre bébé boit toutes les 3 ou 4 heures; vous pouvez diviser le premier modèle de formule en 8 biberons de 2¼ onces ou en 6 biberons de 3 onces. La quantité indiquée est suffisante pour inclure un biberon au milieu de la nuit. Si le bébé vide son biberon et qu'il est encore affamé, vous pouvez augmenter la quantité et la teneur de la formule en suivant le deuxième modèle ou encore vous pouvez graduellement progresser du premier au deuxième modèle de formule en observant les proportions d'eau et de lait qui y sont indiquées.

Le sucre granulé ordinaire ou le sirop de maïs sont les formes de sucre employées le plus souvent. Au début, on ajoute une once ou deux cuillerées à soupe de ces substances à la formule pour la journée et plus tard on peut augmenter la quantité à 1½ onces ou trois cuillerées à soupe. Il serait préférable de garder le sucre et le sirop dans des récipients réservés à la préparation de la formule de bébé.

Votre bébé a besoin d'environ 1 once de lait évaporé ou de 2 onces de lait frais entier (dilué convenablement avec de l'eau) par chaque livre de son poids et chaque jour. Si votre bébé mange habituellement moins que cela, vous devez en parler à votre médecin.

Les modèles de formules sont à l'intention des bébés de poids normal. Les bébés très délicats, tels que les prématurés, ou les bébés particulièrement gros, peuvent avoir des besoins différents. Votre médecin vous donnera les conseils voulus sur l'alimentation des bébés qui sont dans des catégories particulières. De toute façon, vous devez tenter d'obtenir des conseils de votre médecin ou de votre service d'hygiène quand il s'agit de changer les formules de votre bébé, au lieu de prendre cette décision vous-même.

Quand votre bébé atteint trois mois et advenant que la formule numéro 3 ne satisfait pas à sa faim, augmentez la teneur de la formule journalière en ajoutant une once de lait et en enlevant une once d'eau, de temps à autre. De cette façon, quand il aura atteint cinq ou six mois, sa formule se composera de lait entier pur ou de lait évaporé mélangé à une égale partie d'eau.

À mesure que vous ajoutez des aliments solides à son régime, réduisez graduellement le sucre dans sa formule. À six mois environ, le bébé peut boire du lait entier sans sucre.

La plupart des bébés ont besoin tout au plus de trente-deux onces de lait par jour. Quatre biberons de 8 onces suffiront à votre bébé qui mangera par ailleurs de plus en plus d'aliments solides. Les bébés qui ont de la difficulté à prendre de la nourriture solide boivent peut-être trop de lait. Le fait de remplacer le lait par du lait demi-écrémé améliore quelquefois leur appétit.

Comment préparer les biberons

Vous épargnez toujours du temps en préparant en même temps tous les biberons de la journée. Adoptez ce système si vous avez un réfrigérateur pour les garder au froid.

Accessoires

1 grande casserole à couvercle pour stériliser
1 grande casserole pour mélanger et faire bouillir la formule
6 à 8 biberons de huit onces et couvre-tétines

2 biberons de quatre onces (qui servent pour donner de l'eau bouillie au bébé) et couvre-tétines

8 à 10 tétines

1 brosse pour les biberons

1 tasse à mesurer d'une pinte (émail ou verre)

1 entonnoir (ou entonnoir et passoire combinés)

1 passoire

1 cuillère pour mélanger

1 ouvre-boîte

Des pinces pour soulever

Un jeu de cuillères à mesurer

Un bocal de verre à couvercle pour les tétines de rechange

Un couteau pour raser le contenu de la cuillère quand il s'agit de mesurer le lait en poudre

Il est important que tous les accessoires puissent résister à l'ébullition.

Nettoyage des accessoires

Lavez soigneusement tous les accessoires à l'eau chaude savonneuse. Nettoyez surtout l'intérieur des biberons, des tétines et des couvre-tétines. Vérifiez si les trous des tétines sont bien ouverts et de bonnes dimensions. Rincez à fond à l'eau claire.

Stérilisation des accessoires et des formules

Il existe deux méthodes de stérilisation:

(A) Faire bouillir la formule dans les biberons auxquels on aura mis les tétines et les couvre-tétines. Par cette méthode, la formule, les biberons, les tétines et les couvre-tétines sont bouillis en même temps. (Méthode terminale)

(B) Faire bouillir la formule et la verser dans des biberons stérilisés et les mettre au réfrigérateur après y avoir adapté les tétines et les couvre-tétines. (Parfois appelée méthode stérile)

Formule bouillie dans les biberons

1. Lavez-vous soigneusement les mains au savon et à l'eau. Étendez une serviette propre sur une table propre.
2. Placez vos accessoires propres: biberons, tétines, couvre-tétines, etc., sur la table.
3. Mesurez exactement le lait, l'eau, le sucre ou sirop dans une grande casserole et mélangez bien. Si vous utilisez du sirop, versez-le dans une cuillère. Si vous employez du *lait frais*, mélangez bien la crème d'abord ou employez du lait homogénéisé. Lavez le goulot de la bouteille avant de verser le lait. Si vous employez du *lait en boîte*, lavez le dessus de la boîte et rincez aussi la boîte et l'ouvre-boîte à l'eau bouillante. Si vous employez du *lait en poudre*, vous devez le délayer soigneusement pour éviter les grumeaux en y ajoutant un peu d'eau tiède pour former une pâte, puis ajouter le reste de l'eau graduellement en mélangeant à fond. S'il se forme des grumeaux, vous devrez couler la formule dans une passoire.
4. Divisez la formule en parties égales dans les biberons dont vous avez besoin pour la journée.
5. Couvrez chaque biberon d'une tétine et d'un couvre-tétine. Ne pressez pas trop fortement ou ne vissez pas trop fortement les couvre-tétines. Vous pouvez préparer un biberon ou deux d'eau, en même temps.
6. Placez les biberons pleins dans le panier à claire-voie de la casserole et les pinces au centre.
7. Versez de l'eau jusqu'à la moitié de la casserole, puis couvrez.
8. Amenez l'eau à l'ébullition et laissez bouillir vivement durant 25 minutes.

9. Avec précaution, retirez la casserole couverte du feu.
10. Retirez les biberons de la casserole et laissez-les refroidir à la température de la pièce. Pendant que les biberons refroidissent, agitez-les de temps à autre pour éviter la formation d'une peau qui boucherait les tétines.
11. Quand les biberons sont refroidis, resserrez les couvre-tétines et placez les biberons dans le réfrigérateur ou dans un endroit frais.

Formule bouillie dans une casserole et versée dans les biberons stérilisés

1. Assurez-vous que tous les accessoires sont propres.
2. Placez les biberons dans le panier à claire-voie de la casserole à stériliser et posez les accessoires à mesurer entre les biberons. Placez les pinces verticalement au centre. Couvrez les accessoires d'eau. Couvrez la casserole et faites bouillir pendant 5 minutes.
3. Avec précaution, videz l'eau de la casserole, afin que les accessoires refroidissent plus vite; laissez-les dans la casserole couverte jusqu'au moment où vous en aurez besoin.
4. Quand vous êtes prête à mélanger la formule, lavez-vous d'abord soigneusement les mains au savon et à l'eau. Étendez une serviette propre sur une table propre. Apportez-y la casserole couverte qui contient les accessoires.
5. Enlevez le couvercle et déposez-le sur la table pour qu'il repose sur sa face extérieure. Enlevez les pinces et employez-les pour retirer le bocal à couvercle dans lequel vous mettrez les tétines de rechange que vous venez de faire bouillir.
6. Avec les pinces, retirez la tasse à mesurer, la cuillère, l'ouvre-boîte et le couteau. Déposez les pinces sur le couvercle renversé quand vous ne les employez pas.

7. Mesurez les ingrédients et mélangez la formule, tel que recommandé précédemment, au paragraphe 3.

8. Amenez la formule à l'ébullition et laissez bouillir lentement durant trois minutes. Brassez le mélange pour empêcher qu'une peau ne se forme. Retirez la formule du feu et refroidissez. Vous hâterez le refroidissement en brassant la formule.

9. Retirez les biberons de la casserole à stériliser sans toucher aux goulots, en employant les pinces. Retirez l'entonnoir de la même façon et servez-vous-en pour verser une quantité égale de la formule dans le nombre de biberons nécessaires pour vingt-quatre heures.

10. Placez les tétines bouillies sur les biberons sans toucher le bord du goulot; vous ne devez toucher que la partie inférieure de la tétine. Installez les couvre-tétines en évitant de toucher les tétines ou le bord intérieur des couvre-tétines.

11. Placez immédiatement les biberons dans le réfrigérateur ou autre endroit froid.

Comment donner le biberon

Quand le moment de nourrir votre bébé approche, retirez le biberon du réfrigérateur ou de l'endroit où vous l'avez mis au froid, placez-le sur le feu dans une casserole où il y a suffisamment d'eau pour couvrir la moitié du biberon et réchauffez. Vous pouvez aussi utiliser un chauffe-biberon électrique. Après quelques minutes, prenez la bouteille, agitez-la et faites couler quelques gouttes de la formule à l'intérieur de votre poignet.

Quand la température du lait est la même que celle de votre peau, donnez le biberon au bébé.

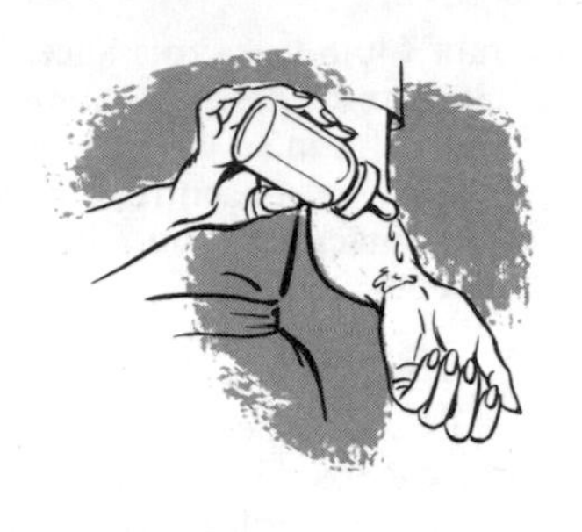

Installez le bébé confortablement dans vos bras et tenez le biberon à un angle suffisant pour que l'air à l'intérieur du biberon ne passe pas par la tétine. Assurez-vous que le lait coule de la tétine, mais pas abondamment.

À plusieurs reprises durant le repas, enlevez le biberon au bébé et tenez ce dernier sur votre épaule pour qu'il puisse roter ou se débarrasser de l'air qu'il a pu aspirer en buvant.

Tout de suite après le repas, rincez le biberon et la tétine.

Vitamines

Que vous nourrissiez votre enfant au sein ou au biberon, il lui faut un supplément de vitamines, soit 20 à 25 milligrammes de vitamine C et 400 unités internationales de vitamine D. Il est très important que le bébé prenne ces vitamines tous les jours, même lorsqu'il mange des aliments solides.

La vitamine C est essentielle pour promouvoir la croissance normale des muqueuses et des vaisseaux sanguins, à la formation des os et des dents et à la protection du bébé contre le scorbut, maladie grave causée par une carence de vitamine C. La vitamine C existe à l'état naturel dans plusieurs aliments qu'on donne aux bébés, entre autres, le jus d'orange et le jus de tomate; on l'ajoute aussi au jus de pomme qu'on appelle alors jus de pomme vitaminé. La vitamine C peut aussi être ajoutée au lait évaporé de sorte que vous pouvez acheter un lait évaporé enrichi de vitamine C.

La vitamine D est essentielle au développement normal des os et des dents et à la protection du bébé contre le rachitisme, maladie qui entraîne souvent des genoux cagneux, des jambes torses et autres déformations osseuse dues au retard de la consolidation des os. Les enfants doivent prendre de la vitamine D durant toute leur croissance. La vitamine D ne se trouve pas à l'état naturel dans les aliments, mais elle est ajoutée au lait évaporé destiné à l'alimentation des bébés. C'est sous forme de préparations concentrées, gouttes ou liquides, disponibles dans les pharmacies, qu'on administre ordinairement la vitamine D aux bébés.

Il faut donner les vitamines C et D au bébé dès qu'il a quelques semaines. Lorsque votre bébé est âgé de trois semaines, commencez à lui faire prendre de la vitamine C, soit une cuillerée à thé de jus d'orange frais, coulé et mélangé à part égale avec de l'eau bouillie refroidie, ou soit du jus de tomate, ou encore du jus de pomme additionné de vitamine. La vitamine C peut être offerte à la cuillère ou dans son biberon. Augmentez graduellement, jusqu'à ce que, à deux mois, le bébé prenne deux onces (quatre cuillerées à table) de jus d'orange ou de jus de pomme vitaminé ou de quatre à cinq onces de jus de tomate. Il absorbera ainsi la quantité nécessaire de vitamine C et s'habituera aux aliments qui lui fournit cette vitamine quand il sera grand.

Vous lui donnerez de la vitamine D concentrée, gouttes ou liquide, dès qu'il aura environ deux semaines. L'étiquette sur le flacon vous indiquera la teneur en vitamines. Commencez doucement et augmentez petit à petit jusqu'à ce que le bébé reçoive 400 unités internationales.

Plusieurs médecins recommandent maintenant aux mamans d'employer des sources concentrées de vitamines C et D quand le bébé est tout petit. Ces produits contiennent aussi parfois d'autres vitamines et sels minéraux. Il existe une grande variété de produits sur le marché et votre médecin ou service d'hygiène vous prescrira la sorte qui convient à votre bébé. L'étiquette sur la bouteille vous donnera la teneur en chacune des vitamines contenues dans le produit et vous pourrez ainsi donner à votre bébé la quantité nécessaire pour ses propres besoins en vitamines C et D.

Les gouttes doivent être mises directement sur la langue du bébé afin qu'il bénéficie d'une pleine dose. Si vous incorporez ces gouttes au biberon ou aux aliments solides, elles peuvent coller aux parois du contenant ou se perdre si le bébé n'absorbe pas toute sa nourriture.

Sevrage

Si vous nourrissez au sein, vous aurez peut-être des raisons spéciales de sevrer votre bébé hâtivement. Par exemple, si vous redevenez enceinte, votre médecin vous le conseillera probablement. Vous pouvez continuer à allaiter sans conséquence fâcheuse, mais c'est un surcroît de fatigue pour une maman que de nourrir deux bébés à la fois.

Le sevrage aura lieu quand votre bébé aura six mois, ou auparavant si votre médecin le juge à propos. Vous pourrez alors le nourrir au biberon ou à la tasse, s'il est déjà habitué à cette dernière. Il existe plusieurs méthodes de sevrage, allant d'un changement graduel à un changement brusque.

La méthode graduelle consiste à substituer un biberon à l'une des tétées, puis au bout de plusieurs jours ou d'une semaine, à substituer un autre biberon à une autre tétée, et ainsi de suite, de façon à ce que le bébé soit complètement sevré au bout d'environ trois semaines. Cette méthode aura l'avantage de tarir votre lait sans vous causer trop de malaises. Vous aurez peut-être du lait pour quelques semaines encore, mais cela ne tirera pas à conséquence.

Une méthode plus rapide consiste à cesser l'allaitement au sein brusquement et de commencer tout de suite à nourrir le bébé au biberon ou à la tasse. Cette méthode est plus dure pour la mère et pour le bébé. Vous aurez plus de malaises en suivant cette méthode, mais vous pourrez faire disparaître la sensation de lourdeur et de tension en allaitant votre bébé pendant quelques minutes, de temps à autre. Il serait également bon de diminuer la quantité de liquide que vous prenez aux repas et entre les repas. Vous devez soutenir vos seins fermement au moyen d'un bon soutien-gorge. Il est possible que votre médecin vous recommande un médicament pour soulager les malaises.

Abandon du biberon

Vers cinq ou six mois, votre bébé peut commencer à boire à la tasse. Faites-lui boire ainsi son jus de fruit pour commencer puis, petit à petit, faites-lui boire le lait à la tasse jusqu'à ce qu'il abandonne complètement son biberon. Les bébés ne réagissent pas tous de la même façon quand il s'agit de boire à la tasse; certains adoptent ce changement avec plaisir tandis que d'autres préfèrent leur biberon. N'essayez pas de faire perdre l'habitude du biberon à votre enfant à un âge déterminé; quand en viendra le temps, il vous le fera savoir lui-même. Le biberon auquel il renonce le plus difficilement est celui qu'il prend juste avant de s'endormir pour la nuit.

Aliments solides

Malgré toute l'importance du lait pour l'alimentation de votre bébé, vous ne tarderez pas à vous demander quand vous devez ajouter des aliments solides à son régime. Depuis quelques années, on note une tendance à donner des aliments solides aux bébés de plus en plus jeunes. On semble croire que nourrir le bébé avec les aliments consommés par les adultes le fera progresser plus rapidement. La plupart des spécialistes en alimentation des enfants ne considèrent pas nécessaire de donner des aliments solides aux très jeunes bébés. Évidemment, quelques bébés exceptionnels peuvent avoir besoin de nourriture solide. Suivez les conseils de votre médecin ou du service d'hygiène pour cet aspect du régime de bébé et non la vogue diététique de votre quartier.

Bébé aura besoin de prendre des aliments solides pour plusieurs raisons précises. S'il est vrai que le lait est un aliment presque parfait, il ne l'est tout de même pas vraiment. Il ne contient pas assez de fer dont le bébé a besoin pour une formule sanguine et des fibres musculaires normales. À trois mois, votre bébé a presque épuisé sa réserve prénatale de fer et il a besoin d'en refaire provision. À mesure qu'il se développe, il lui faut aussi une plus grande quantité de vitamine B_1 et de plus de calories. La croissance et l'appétit varient d'un bébé à l'autre. Une autre raison d'administrer des solides à votre bébé, c'est qu'il doit s'habituer à de nouvelles textures et saveurs alimentaires. Il doit développer son sens du goût et c'est une excellente idée de lui offrir une variété d'aliments plutôt que de vous en tenir au lait seulement. En se développant, le bébé acquiert plus de contrôle sur les muscles de sa langue et de sa gorge et il apprend à ingurgiter des aliments solides.

Évidemment, le but est que le bébé adopte éventuellement le régime familial, mais cela prendra plusieurs mois. Au début, les nourritures en boîte pour bébés sont très commodes. Il en existe une grande variété et ces produits sont prêts à servir. Vous pouvez aussi donner à votre bébé une nourriture de famille, telle que des fruits cuits ou des légumes cuits tamisés. Ces aliments sont de prix modique et habituent le bébé à la saveur des produits frais. Quand votre enfant aura quelques dents, donnez-lui de la nourriture en boîte pour bébés "juniors". Certains bébés sont paresseux lorsqu'il s'agit de mâcher la nourriture et conséquemment il n'est pas sage de continuer à leur donner trop longtemps des aliments en purée ou écrasés et tamisés, car ils auraient ensuite de la difficulté à s'habituer à des aliments différents.

Il n'existe aucune méthode infaillible pour établir un régime composé d'aliments solides. On peut s'y prendre de plusieurs façons différentes et les médecins eux-mêmes diffèrent d'opinion quant à celle qui est préférable. La plupart des bébés ont beaucoup de facilité d'adaptation, ce qui ne les empêche pas d'avoir des goûts individuels bien définis. Pour cette raison, ne vous croyez pas obligés de suivre trop étroitement un régime quelconque. Offrez des nouveaux aliments à votre bébé mais sans insister inutilement et sans hâte intempestive. Il est toujours sage de ne servir qu'un seul aliment nouveau à la fois. Il est aussi préférable d'offrir cet aliment au début du repas lorsque le bébé est le plus affamé, et en petite quantité pour commencer. Servez-vous d'une petite cuillère et placez la nourriture sur l'arrière de la langue du bébé afin qu'il ne puisse la rejeter. S'il ne semble pas aimer la nouvelle nourriture, offrez-la-lui de nouveau quelques jours plus tard.

L'expérience démontre que l'adaptation des bébés aux aliments suit généralement le processus décrit ci-après. Ce sont les céréales pour bébés ou les fruits que les nourrissons acceptent le plus facilement au début, généralement à partir de deux mois et demi jusqu'à trois mois et demi. De quatre mois à quatre mois et demi, les bébés mangent habituellement des légumes sans protester; puis ce sont le jaune d'oeuf et les viandes pour bébés entre cinq et sept mois. On leur offrira un oeuf entier, le jaune et le blanc, quand ils auront huit ou neuf mois.

Céréales — Les céréales spéciales pour bébés sont recommandées parce qu'elles sont raffinées et cuites à l'avance et contiennent des substances minérales supplémentaires dont le bébé a besoin. Pour commencer, donnez-lui des céréales mélangées avec une partie du lait de son biberon, au repas du matin et ensuite au repas du soir. Au début, mélangez les céréales avec assez de lait mais, quand l'enfant pourra avaler des aliments solides, vous pourrez diminuer la quantité du lait dans le mélange. Augmentez graduellement la quantité de céréales jusqu'à ce que l'enfant prenne deux cuillerées à soupe de céréales sèches mélangées avec du lait, deux fois par jour.

Fruits — La sauce aux pommes est à conseiller au début. Si vous préparez de la sauce aux pommes ou toute autre purée de fruits, n'y ajoutez pas trop de sucre. Le seul fruit cru recommandé pour les jeunes bébés est une banane mûre, bien écrasée à la fourchette. Environ trois cuillerées à soupe de fruits représentent une bonne portion; donnez d'abord une plus petite portion et augmentez graduellement la quantité. Ajoutez les fruits au repas du midi.

Légumes — Sans qu'on en sache la raison, les légumes sont moins populaires que d'autres aliments, mais ils sont tout aussi importants, surtout les légumes colorés, en raison de leur teneur en vitamine A. Ajoutez des légumes au menu, un seul à la fois et sans les mélanger, en petite quantité d'abord et en augmentant petit à petit.

Jaune d'oeuf — Une fois que le bébé est habitué aux légumes, les médecins recommandent souvent de lui donner du jaune d'oeuf en raison du fer et des protéines qu'il contient. Il faut commencer par en donner une petite quantité car certains bébés tolèrent mal les oeufs; leur ingestion peut entraîner une éruption ou un vomissement. Les bébés allergiques, par exemple ceux qui souffrent d'eczéma, sont plus sujets à ces malaises. De fait, votre médecin vous conseillera peut-être d'attendre à plus tard avant de donner des oeufs à votre bébé. Si le jaune est cuit, il causera probablement moins de malaise au bébé. Vous pouvez faire cuire l'oeuf dur et le tamiser ou le servir mollet. Ajoutez graduellement des oeufs entiers au régime, servez-les brouillés, pochés ou cuits dur.

Viande — La viande est une excellente source de protéines et de substances qui enrichissent le sang. Comme les viandes en boîte pour bébés sont en purée, elles sont d'un emploi beaucoup plus facile. Employez de la viande pure et non mélangée à des céréales ou à des légumes, car il est alors difficile de savoir quelle est la quantité de viande absorbée par le bébé. Essayez un repas de viande le midi.

Biscuits et pain — Quand ses dents perceront, votre bébé voudra mordre quelque chose de dur. Laissez-le mâcher une croûte de pain ou des biscuits pas trop sucrés. Il faut cependant surveiller le bébé pendant qu'il grignote pour éviter qu'il ne s'étouffe avec les miettes.

Poudings — Quand il aura plus de six mois, votre bébé pourra manger des poudings au lait, des crèmes, des blancs-mangers et du jello.

À mesure que votre bébé s'habituera à un menu plus varié, voyez à ce qu'il prenne des repas de plus en plus semblables à ceux du reste de la famille. Vous pouvez lui donner des légumes, tamisés ou en purée, des céréales cuites et tamisées, du bacon croustillant et même du poisson bien cuit dont les arêtes ont été soigneusement enlevées. L'heure des repas n'a pas tellement d'importance pour autant qu'il ait un régime varié et qu'il acquière du goût pour différents aliments. La quantité de nourriture ingérée varie d'une journée à l'autre et d'un bébé à l'autre. En autant que votre bébé se développe et qu'il est de bonne humeur, ne vous inquiétez pas s'il semble ne pas avoir beaucoup d'appétit. L'appétit d'un bébé en santé vous guidera pour la satisfaction de ses besoins. Après une maladie, son appétit sera quelque peu diminué et vous devrez peut-être le forcer un peu à manger.

Bébé et l'alimentation

On ne saurait assez répéter que chaque enfant possède sa propre personnalité et sa propre individualité. Il n'existe pas deux bébés dont le comportement soit identique. Certains enfants ont plus d'appétit que d'autres, certains digèrent mieux, et d'autres sont plus récalcitrants quand il s'agit d'aliments nouveaux.

Ce qui importe dans l'alimentation du bébé c'est qu'elle lui soit si agréable qu'il anticipe avec plaisir le prochain repas. Nombre de problèmes d'alimentation chez l'enfant plus âgé ont pris naissance à l'époque de la chaise haute, soit parce qu'on le forçait à manger des aliments qu'il n'aimait pas, qu'on lui en donnait trop, qu'on le laissait seul pour manger, ou encore parce que son attention était trop retenue par autre chose. L'heure des repas devrait être une occasion de détente joyeuse et paisible.

Vous vous épargnerez bien des soucis si vous admettez d'avance que l'appétit du bébé varie d'un repas à l'autre, d'un jour à l'autre, et d'un aliment à l'autre. Une bonne pratique consiste à prolonger le repas agréablement durant 15 à 20 minutes, mais de le terminer alors, même si l'enfant n'a pas mangé.

Si votre bébé n'aime pas un aliment nouveau, n'insistez pas pour plusieurs jours. Offrez-lui en de nouveau une petite quantité après quelques jours. Servez-lui le nouvel aliment quand il est affamé; évitez de lui donner plus qu'une nouvelle nourriture à un seul repas. Ne le réprimandez et ne le forcez jamais à manger un aliment qu'il rejette systématiquement.

Un beau jour, vous aurez la surprise de voir votre bébé tenter de s'emparer de la cuillère pour manger seul. Ce sera le début d'une période bien désagréable de votre carrière. Mais laissez faire le bébé, car ce sera sa première tentative dans l'art de se débrouiller. Couvrez-le d'une grande bavette, car il laissera tomber sa nourriture non seulement sur lui mais autour de lui, et laissez-le faire des siennes!

CHAPITRE DOUZE

La première année de bébé

Au cours de sa première année, faites examiner régulièrement votre bébé chez votre médecin ou à une clinique de nourrissons. Jamais plus il ne fera autant de progrès que pendant cette première année; vous ne sauriez donc vérifier trop soigneusement ce progrès pour vous assurer qu'il est normal et pour corriger toute tendance qui pourrait affecter la croissance.

Poids

Chaque bébé grossit et grandit selon un mode qui lui est propre et son développement peut varier d'une semaine à l'autre. Il importe que bébé prenne du poids constamment, de semaine en semaine, mais il n'y a pas de règle fixe quant au nombre d'onces et de livres qu'il doit accumuler.

La plupart des bébés doublent de poids au cours des premiers quatre ou cinq mois et pèsent trois fois plus à un an qu'à la naissance. En moyenne, le poids d'un bébé augmente de 14 livres pendant sa première année.

Les bébés de plus de 5½ livres à la naissance sont ordinairement à terme. Le poids moyen à la naissance se situe entre 7 et 8 livres, et la grandeur moyenne des nouveau-nés est de 20 pouces. Généralement, les garçons pèsent plus que les filles. Pendant les trois jours qui suivent la naissance, le nouveau-né ne mange presque pas et perd beaucoup de liquide; il est donc normal que son poids diminue alors de 4 à 8 onces. Le bébé devrait commencer à reprendre du poids à partir du quatrième jour et, au cours de la deuxième semaine, revenir au poids qu'il avait à la naissance; ensuite, il devrait augmenter d'environ 4½ onces par semaine jusqu'à six mois. La croissance est plus rapide au cours du deuxième, troisième et quatrième mois alors que le bébé peut augmenter son poids de 1½ livre par mois. Les huit mois suivants, il prendra environ 1 livre par mois. L'augmentation de poids est un des indices de progrès au même titre que l'appétit, l'activité et le sommeil.

Vêtements

Les couches constituent l'élément principal du vêtement de bébé. Elles peuvent être faites de flanelle de coton, de filet ou de gaze. Vous devriez en avoir au moins deux douzaines. L'illustration indique une méthode commode de plier les couches.

Vous avez besoin de 5 ou 6 camisoles de coton ou de coton avec 10 à 25 p. 100 de laine. Certains bébés ne supportent pas le contact de la laine et le coton est alors préférable. Procurez-vous la taille "six mois" dès le début, car votre bébé grossira vite.

Ses 4 à 6 chemises de nuit seront en finette ou en jersey de coton. Vous pouvez passer un cordon au bas d'une chemise longue de façon à emprisonner les pieds de bébé lorsqu'il sera devenu assez vigoureux pour rejeter ses couvertures. Vous pouvez lui mettre ses chemises l'ouverture à l'arrière s'il repose sur le ventre ou l'ouverture à l'avant s'il repose sur le dos. Quand ses chemises seront devenues trops petites, vous lui mettrez des pyjamas qui enveloppent les pieds; ces pyjamas seront d'une ou deux pièces, ces derniers étant très commodes puisqu'il n'est pas nécessaire de laver le haut aussi souvent que la culotte.

Le lavage sera considérablement simplifié si les petites robes à volants et dentelles en sont absentes. Vous aimerez sans doute avoir une ou deux de ces robes pour les occasions spéciales, mais au cours des premiers mois au moins, la tenue la plus simple est seule nécessaire. Au moment où bébé commence à se traîner, le vêtement par excellence est la culotte-combinaison, courte ou longue, en coton ou en lainage.

Le bébé aura besoin de gilets, de bonnets, peut-être de chaussons pour compléter sa toilette. Il est possible de se procurer tous ces articles en laine de nylon qui a l'avantage d'être aussi chaude que la laine, mais qui coûte moins cher et se lave facilement à la machine. N'employez jamais de laine angora pour vêtir votre bébé, car il pourrait l'aspirer et l'avaler.

Pour ses sorties d'hiver, bébé sera confortable dans un sac de laine, de coton brossé ou matelassé, mais sans fourrure. Choisissez un sac dont les fermetures-éclairs, les boucles ou les boutons-pression sont recouverts pour éviter toute blessure. En été, bébé sortira en culotte-combinaison, en couvre-tout ou en costume de jeu et, au soleil, il portera un chapeau. Tous ses vêtements de jeu auront de l'ampleur aux emmanchures pour lui permettre une grande liberté de mouvement. Ils auront aussi une ouverture pour faciliter le changement de couche.

Dès que l'enfant commence à se tenir debout, il lui faut des chaussures sans talon, à semelle ferme mais souple. Ces chaussures doivent être ajustées avec soin, même si elles seront bientôt trop petites.

Dans certaines occasions, lorsque bébé est en visite avec vous ou que vous le montrez à des parents pris d'admiration, vous ne voudrez pas qu'il mouille vos vêtements ou le plancher.

La culotte de caoutchouc apporte une solution, mais s'il la porte longtemps, elle peut irriter la peau tendre de l'enfant. Le commerce offre maintenant des culottes doublées de plastique très efficaces et moins irritantes. Si vous changez le bébé de couche fréquemment, il ne souffrira pas de porter une culotte imperméable à l'occasion, mais il ne doit jamais en porter pour dormir, ni le jour ni la nuit. Une culotte absorbante de laine tricotée est parfois très utile.

Ce qui importe, c'est d'habiller le bébé selon les circonstances. L'ancienne mode qui consistait à emmailloter un enfant comme une momie par n'importe quel temps est loin d'être recommandable, car l'excès de chaleur cause des éruptions; d'autre part, bébé doit être vêtu chaudement quand il fait froid.

Sommeil

Le nouveau-né dort presque tout le temps, mais à vieillir il adoptera ses heures de sommeil. La régularité dans les repas, le sommeil et les jeux est extrêmement importante dans sa vie. Le bébé qui mange à des heures régulières dormira probablement aussi d'une façon plus régulière.

Chaque jour, bébé restera éveillé plus longtemps et il manifestera de plus en plus d'intérêt envers les personnes de son entourage. Il se fixera probablement une heure de "récréation" en fin d'après-midi, puis une autre au cours de la matinée. Vers six mois, le bébé dort d'habitude douze heures par nuit et de trois à cinq heures pendant le jour. A un an, il fait deux sommes assez courts pendant le jour et dort de 12 à 13 heures par nuit.

Il faut bien comprendre que tous les bébés n'ont pas le même besoin de sommeil. Votre bébé peut fort bien être très actif, débordant d'énergie, et avoir besoin de moins de sommeil que le bébé placide et rêveur de la voisine. Ne vous en faites pas au sujet du nombre d'heures de sommeil que prend votre bébé au cours de sa première année. Si rien ne le dérange, il dormira autant qu'il en a besoin.

Ne réveillez jamais votre bébé pour le faire admirer par des visiteurs et ne lui donnez jamais de remèdes pour dormir. Laissez-le dormir confortablement, seul dans un endroit sombre et paisible, et ne le surexcitez pas juste avant de le mettre au lit. Si vous l'entendez gazouiller et remuer, ne vous inquiétez pas;

il a simplement décidé de s'amuser un peu et il s'endormira bientôt s'il n'est pas dérangé.

Jeu

Peu à peu, votre bébé prolongera ses heures de veille; il voudra alors que l'on joue avec lui. Maman et Papa devront donc s'intéresser sérieusement à distraire Bébé. Au début, quelques hochets de plastique aux couleurs vives, suspendus à son petit lit ou à sa voiturette, retiendront son attention. Vers l'âge de trois mois, il pourra saisir des jouets. Il devrait avoir l'avantage de pouvoir jouer en sûreté dans un parc pour enfants. En été, vous pouvez mettre le parc dehors, pourvu que ce soit à l'ombre. Si vous avez un portique ou une véranda bien abrités, votre enfant peut y jouer dans son parc, même en hiver, s'il est capable de se tenir debout et qu'il peut se déplacer.

Le bébé qui, chaque jour, passe quelques heures au grand air se développe beaucoup mieux que l'enfant gardé constamment à la maison. Si votre bébé est né en été, il peut dormir dehors une heure dans la matinée et une heure dans l'après-midi, dès qu'il a atteint deux semaines. L'enfant né en hiver devra attendre un peu plus longtemps et ne devra pas être exposé à une température extrêmement froide.

Les bains de soleil sont profitables au bébé. S'il fait assez chaud (au moins 74°), vous pourrez lui en faire prendre dès qu'il aura trois semaines. Cependant ne l'exposez pas au soleil immédiatement après le bain ou les repas; attendez au moins une heure. Commencez par de très courtes périodes. Le bébé vêtu d'une camisole, d'une couche et d'un bonnet à visière restera exposé au soleil deux minutes sur le dos, deux minutes sur le ventre. Augmentez d'une minute par jour pendant une semaine, puis recommencez à deux minutes, mais cette fois sans camisole. Prolongez la période jusqu'à ce que le bébé reste au soleil de dix à quinze minutes par jour.

Si la peau rougit ou si l'enfant fait un peu de fièvre, discontinuez le bain de soleil pendant quelques jours. Lors des grandes chaleurs, mettez le bébé au soleil avant dix heures du matin et après trois heures de l'après-midi. Les bébés blonds ont la peau beaucoup plus sensible aux rayons du soleil que les bébés au teint brun.

À six mois, le bébé commence à s'intéresser à ce qui se passe autour de lui. Il aimera regarder les feuilles des arbres et il prendra plaisir aux promenades en voiturette. Vous pouvez même changer son point de vue, dans sa chambre, en le couchant une semaine la tête à un bout de son lit, puis la semaine suivante à l'autre bout. Comme l'enfant se tourne instinctivement vers la lumière, ce changement contribuera au développement normal de sa tête.

Habitudes de propreté

Un enfant ne parvient pas à maîtriser entièrement les fonctions de ses intestins et de sa vessie avant l'âge de deux ans, et parfois même trois ans. Il est impossible d'habituer un enfant de moins d'un an à ne plus se salir ou se mouiller. Durant cette période, vous pourrez observer le bébé et noter les moments de ses selles, et essayer ainsi de le mettre sur son pot au moment voulu.

Si cette méthode vous permet de deviner à temps les besoins de votre enfant, elle ne contribue guère à lui inculquer l'habitude de la propreté et, de fait, il arrive que les bébés ainsi traités demandent d'aller aux cabinets plus tard que ceux dont l'entraînement commence quand la coordination des muscles et des nerfs s'établit, au début de la deuxième année. Réchauffez le petit pot, placez-le sur vos genoux et mettez-y le bébé. Plus tard, vous utiliserez un siège de cabinet. N'y laissez jamais le bébé plus de cinq minutes et si, comme il arrive souvent, il salit sa couche dès que vous lui avez remise, ne perdez pas patience. Ne lui manifestez jamais votre désappointment, mais complimentez-le s'il réussit.

Certains bébés ont trois ou quatre selles par jour, alors que d'autres n'en ont qu'une par deux jours. Ce n'est pas la fréquence ni même la régularité qui comptent, c'est la consistance. Les selles doivent être jaunes ou brunâtres et molles. Si la selle est dure, prenez tout de suite les moyens de soulager la constipation avant que l'enfant ne manifeste de la crainte à faire marcher ses intestins. Donnez-lui plus d'eau et plus de légumes et de fruits, des pruneaux par exemple.

Ne vous inquiétez pas toutefois si la consistance et la couleur des selles changent quand vous commencez à donner au bébé de la nourriture solide.

L'enfant prend du temps à acquérir la maîtrise de sa vessie. Il ne peut y réussir avant l'âge de deux ans à deux ans et demi. Bien des enfants continuent à mouiller leur lit après deux ans et demi. Vous pouvez toujours essayer de placer l'enfant sur le pot au moment voulu, mais n'insistez pas trop.

Ne donnez pas trop d'importance à l'entraînement à la propreté et conservez votre bonne humeur même dans les échecs. L'exigence et l'impatience des parents à ce sujet sont à l'origine de bien des problèmes difficiles de comportement.

Dentition

Les premières dents de lait apparaissent d'ordinaire entre le sixième et le huitième mois, bien qu'il arrive assez souvent qu'elles percent dès l'âge de cinq mois ou seulement vers dix mois.

L'enfant aura vingt dents de lait qui tomberont toutes au cours des années, à mesure que les dents permanentes seront prêtes à percer. Les premières dents sont d'habitude les deux incisives médianes du bas, suivies des deux incisives médianes du haut. Les autres apparaissent dans l'ordre indiqué dans le tableau ci-dessous.

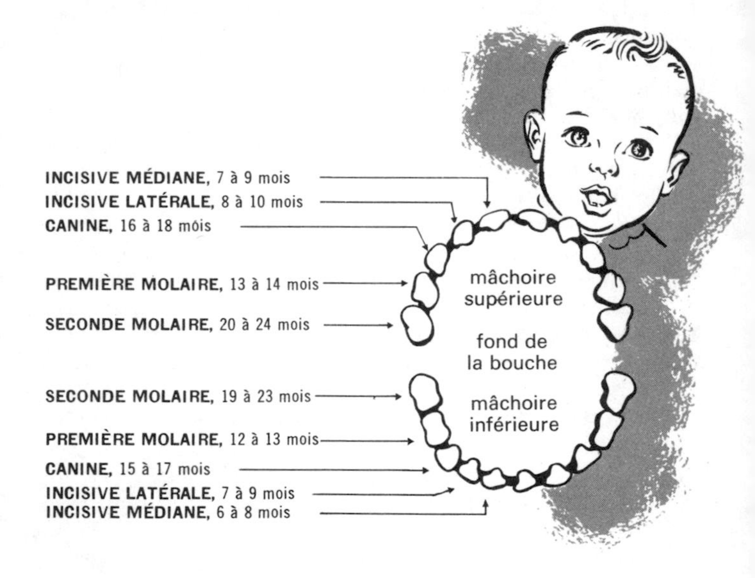

À deux ans et demi, les vingt dents de lait sont ordinairement toutes percées.

Les dents de lait ont commencé à se former et à se recouvrir d'ivoire bien avant la naissance du bébé. Les germes des dents permanentes se sont aussi développés alors, mais sans présence d'émail ni d'ivoire. Il faut attacher beaucoup d'importance aux vitamines et aux sels minéraux dans le régime alimentaire de la première année pour assurer le développement sain des dents de lait et des dents permanentes.

Une des causes de la carie des dents est la formation d'acides par l'action de bactéries sur les particules de nourriture sucrée, logées entre les dents. La formation de ces acides est moindre si l'on se brosse les dents immédiatement après chaque repas, afin de déloger des particules sucrées, et si l'on s'abstient de manger des sucreries entre les repas. Même les dents de lait devraient être brossées après le repas.

Une dent de lait cariée peut tomber avant que la dent permanente correspondante ne soit prête à percer. Si cela se produit, les dents voisines dévient et se rapprochent, réduisant l'espace entre elles et empêchant la dent permanente de pousser droite. Il faut donc prendre un grand soin des dents de lait, d'autant plus que les dents cariées font mal et altèrent la santé.

Normalement, la dentition ne cause pas de malaise grave chez le petit enfant, bien que des gencives douloureuses puissent l'agacer et lui faire perdre l'appétit. Bien des mères attribuent la toux, la fièvre et la diarrhée de leur bébé à la dentition, mais celle-ci en est rarement la cause. Un bébé malade au moment de sa dentition devrait être examiné par un médecin. La venue d'une dent nouvelle est souvent précédée d'une salivation abondante. La bavette devient alors l'accessoire permanent de la toilette de bébé. Facile à enlever et à laver, elle absorbe la salive.

À cinq mois, c'est le temps d'offrir à l'enfant une croûte dure ou un biscuit non sucré pour bébés. Même s'il n'a pas encore de dents, il aimera mordiller et cet exercice lui durcira les gencives et développera les muscles de ses mâchoires. À cet âge-là, il porte tout à sa bouche et essaie même de mordiller les barreaux de son petit lit s'il parvient à les atteindre. Ne lui donnez pas de jouets à parties détachables, car il pourrait les avaler et s'étouffer. Il ne faut pas non plus lui donner une "suce" ou tétine à sucer continuellement. À l'occasion toutefois, une "suce" peut aider à le calmer s'il a du mal à s'endormir.

Il arrive parfois qu'un bébé ait des dents à sa naissance, mais ne soyez pas trop empressée à les faire enlever, car ce sont les seules dents de départ qu'auront ces enfants. Les faire enlever trop tôt risque d'endommager les dents permanentes.

Si vous habitez une région où l'eau de consommation est fluorée, les dents de votre bébé auront probablement moins de cavités lorsqu'il grandira. Des enquêtes ont démontré qu'il y a moins de caries parmi les enfants qui boivent de l'eau fluorée.

Il suce son pouce

Presque tous les bébés sucent leur pouce.

Jusqu'à un an, et même un peu plus tard, sucer son pouce est normal et ne devrait pas susciter de conflit entre la mère et l'enfant. Mais comme ce n'est pas une habitude très élégante et qu'elle pourrait s'enraciner, il est sage d'en distraire l'enfant avec un anneau, un hochet ou un jouet de plastique qu'il pourra mordiller. Il ne faut pas gronder le bébé qui se suce le pouce, car pour lui c'est un peu la même chose que de sucer son biberon. Si votre bébé est heureux et en santé, sucer son pouce durant sa première année ne lui fera aucun tort.

L'immunisation

Le bébé vient au monde avec un certain degré d'immunité contre quelques maladies, mais cette immunité disparaît bien vite. Vous pouvez facilement le protéger d'une façon permanente contre des maladies comme la diphtérie, la coqueluche, la poliomyélite, le tétanos et la variole en le faisant vacciner contre cette dernière maladie et immuniser contre les autres, dès les premiers mois de sa vie. Il existe aussi un vaccin contre la rougeole.

La plupart des médecins administrent une combinaison d'antigènes qui immunisent le bébé contre plusieurs maladies à la fois. La première série d'injections a lieu au cours du troisième ou du quatrième mois, et plusieurs mois s'écoulent avant que le bébé ne soit immunisé. L'immunité diminue aussi avec le temps. C'est pourquoi les injections de rappel sont toutes aussi importantes que les premières injections, et elles doivent être administrées au moment où le médecin les prescrit.

De nos jours, il n'y a pas d'excuse pour qu'un enfant meure de la diphtérie. Malheureusement, trop de parents négligent encore de faire immuniser leurs enfants et le regrettent amèrement plus tard.

La variole est maintenant très rare au Canada grâce à la vaccination presque générale. Si la population n'était pas immunisée, un seul cas de variole pourrait causer une épidémie dangereuse.

La coqueluche est une maladie grave, parfois mortelle, qui peut laisser des traces permanentes. On ne peut prétendre que l'immunisation contre la coqueluche assure une protection complète, mais elle est tout de même efficace dans la plupart des cas. L'immunisation a au moins l'effet de rendre la maladie moins grave.

La poliomyélite est une infection grave qui cause la paralysie de diverses parties du corps. L'immunisation empêchera votre enfant de contracter cette maladie qui rend infirme. On peut utiliser deux sortes de vaccin: l'un se donne par injections, l'autre se prend par la bouche. Votre médecin ou le service de santé prescrira la sorte de vaccin pour votre bébé.

Le tétanos est une maladie très rare et souvent mortelle, contre laquelle vous pouvez prémunir votre bébé facilement et en toute sécurité. L'enfant qui est immunisé contre le tétanos et qui se blesse dans la rue, dans un champ ou dans un endroit probablement infecté par le tétanos, n'aura pas besoin de sérum antitétanique qui peut produire une réaction grave. Une simple injection de rappel suffira.

Il est important de conserver le registre des immunisations dans un endroit sûr.

Voyages

Voyager avec un bébé est beaucoup moins compliqué que par le passé. Le problème du blanchissage ne se pose plus avec les couches, les bavettes et les mouchoirs de papier que l'on jette après usage. En voyage, il est bon d'apporter le petit pot du bébé pour qu'il ne perde pas ses habitudes de propreté. S'il boit du lait frais, il est sage de l'habituer une semaine avant le départ à prendre du lait évaporé. Pendant la semaine qui précède le départ, on peut le préparer à ce voyage.

Si vous voyagez en voiture, il est inutile de vous charger d'un lourd bagage car vous pourrez acheter en cours de route les couches de papier, les aliments en conserve et le lait en boîte dont vous aurez besoin. Une mallette contenant les effets de bébé et un sac de plastique ou de caoutchouc pour son linge souillé suffisent.

Apportez-lui quelques jouets favoris et sa propre couverture afin qu'il se sente moins dépaysé.

Si vous voyagez en voiture et que vous tenez votre bébé dans vos bras, assurez-vous que votre ceinture de sécurité est bien fixée. Si le bébé est couché dans un lit ou un panier, disposez les couvertures de sorte qu'il ne puisse tomber. Il est sage, aussi, d'attacher le lit au siège de la voiture, ou simplement de le placer par terre. Si le lit n'est pas fixé solidement, un arrêt brusque peut faire tomber et le bébé, et le lit.

Ne laissez jamais, sous aucun prétexte, votre bébé dans l'auto ou dans un lit à bord d'un train sans surveillance. Le petit siège qui s'accroche au siège de l'auto est idéal pour l'enfant un peu plus vieux.

CHAPITRE TREIZE

La croissance de votre bébé

Rien de plus intéressant, de plus passionnant pour les parents, que de voir ce bébé si faible atteindre sa propre individualité en se développant. Au début, ce petit être est en quelque sorte "une nouveauté", mais il affirme graduellement sa personnalité, avec des goûts particuliers, des réactions personnelles pour chacune des situations diverses et un caractère bien à lui. Il sera ou froid et souriant ou vigoureux et agité; il peut être le type impatient qui veut toujours tenter ce dont il est incapable, ou encore l'enfant docile qui attend qu'on lui enseigne. À mesure que vous le connaîtrez mieux, vous pourrez étudier son tempérament et essayer de développer ses qualités tout en comprenant ses faiblesses. C'est là l'essence de l'éducation, qui procure, pour les parents qui savent aimer et observer, une joie constante.

L'instinct du bébé naissant lui fait sentir un besoin très fort de nourriture et de confort physique. Très tôt, vous pourrez constater les marques de reconnaissance qu'il manifeste pour les soins que vous lui apportez quand vous le prenez dans vos bras ou que vous lui parlez doucement; vos sourires à son endroit, de même que l'attention que vous lui portez en lui donnant son bain, en l'habillant, en le berçant et en le promenant sont autant de marques que le bébé sait apprécier.

Dès la naissance, l'enfant peut sucer; il pleure, tousse, éternue, met ses doigts dans sa bouche. Tout porte à croire que le bébé nait avec les sens, assez faibles il est vrai, de l'odorat et du goût. Il peut entendre et il est surpris, tout d'abord, par des bruits forts. À trois mois au plus tard, il s'intéresse au bruit d'un hochet, ou d'un jouet. Si votre bébé ne réagit pas aux sons, parlez-en à votre médecin.

Au début, sa vue n'est pas encore coordonnée; il ne peut suivre les objets ni se concentrer; un oeil peut regarder à droite pendant que l'autre regarde à gauche. À six semaines, cependant, il suit des yeux les objets; la lumière et les couleurs vives l'attirent. Si les yeux ne sont pas redressés à l'âge de six mois, il vaut mieux en parler au médecin.

À six semaines, bébé a fait des progrès rapides. Il essaie de saisir les objets, il gazouille et sourit. Il a probablement souri bien avant, mais ce n'était alors, et il est regrettable de devoir le dire, que des contractions musculaires sans intention de vous plaire.

Il remue d'abord les bras d'une façon désordonnée, mais dès la première ou la deuxième journée, il peut lever la tête s'il est à plat ventre. À quatre mois, il se tient la tête bien droite et c'est à peu près à ce moment que vous l'entendrez vraiment rire pour la première fois. Il voudra alors attraper et tenir les objets, les faire passer d'une main à l'autre, se servant indifféremment de l'une ou de l'autre et vous ne pourrez pas découvrir avant la fin de sa première année s'il est gaucher ou droitier.

Entre cinq et huit mois, vous serez surprise de constater qu'il semble craindre les étrangers. C'est un signe de croissance qui indique qu'il discerne la différence des figures et des entourages. Ne le mettez pas en contact avec des étrangers trop brusquement. Souvent, le bébé arrive à dominer cette crainte s'il est placé dans un parc ou dans un endroit où il peut observer sans ennui les visages nouveaux. À la fin de sa première année, il manifestera pour les autres enfants une amitié qui existe chez presque tous les bébés.

Vers trois mois, couché sur le ventre, il essaie de se retourner sur le dos et y réussit vite, de sorte qu'entre cinq et sept mois, il roule du dos sur le ventre, ce qui est plus difficile. Entre six et huit mois, il peut s'asseoir tout seul et c'est à cet âge qu'il commence ses explorations. Il découvre lui-même ses moyens de locomotion: il peut se traîner, se rouler, se pousser de ses pieds, à sa fantaisie. Puis il réussit à se mettre debout. Il en est tout fier, mais ses petites jambes se fatiguent vite et il découvre qu'il ne sait pas se rasseoir. Certains bébés appellent

à grands cris maman à leur secours; d'autres, lâchant tout, tombent avec surprise sur le plancher. Une fois passé maître dans l'art de se lever et de se rasseoir, bébé voudra marcher. Les premiers pas de plusieurs bébés coïncident plus ou moins avec leur premier anniversaire de naissance.

À partir de huit mois, il commence à s'exprimer. Son gazouillis prend un sens et il essaie de répéter les sons qu'il entend. À un an, il balbutie quelques mots (d'habitude, Maman, Papa et NON). À deux ans et demi, il doit être en mesure de se faire comprendre.

Presque tous les bébés semblent avoir les jambes torses durant leur première ou leur deuxième année; c'est normal. Cela ne dépend pas de ce qu'ils ont marché trop jeune, mais bien des dépôts de graisse sur le côté extérieur de leurs jambes. En moyenne, l'enfant marche entre 13 et 14 mois, mais il peut aussi bien marcher à 10 ou à 18 mois. Le gros bébé prend d'ordinaire plus de temps pour apprendre à marcher.

Certains nourrissons ont les oreilles nettement décollées. Il n'y a rien à faire à ce moment et forcer un poupon à porter un bonnet serré ou encore lui coller les oreilles au crâne ne font que le rendre misérable. Si ce défaut physique est très laid, on pourra, lorsque l'enfant est plus vieux, faire appel à la chirurgie.

Bébé a un besoin constant d'amour, de sécurité et d'amusement. Mais son besoin d'expériences nouvelles varie, tout comme sa capacité à s'en amuser. Bébé aime les choses qui bougent, mais il peut se fatiguer du balancement continuel d'un hochet attaché à son berceau; souvent, même quand il est tout petit, il se mettra à pleurer sans trop savoir pourquoi. Les bébés aiment les sons et les mouvements rythmés; ils aiment le bruit, le claquement des couvercles de casseroles ainsi que la radio. Ils adorent se faire bercer; on les voit même, assis sur le parquet, se balancer en suivant la mesure d'un son rythmé.

Les mois passent et bébé est à la recherche de différentes sensations. Il est difficile pour nous d'imaginer un monde où nous ne saurions faire la différence entre le dur et le mou, le mouillé et le sec, le rude et le doux, le rond et le carré. Bébé, lui, doit apprendre tout cela.

Il arrive parfois que bébé pleure sans raison apparente. Vous pourrez croire "qu'il pleure pour rien", mais il y a toujours une raison. Il est peut-être déçu de n'avoir pas réussi à accomplir une chose dont il est en fait incapable, ou il se fatigue de la monotonie de ses gestes, ou encore il s'ennuie, ou il n'aime pas ce qui se passe dans la maison à ce moment précis. Il faut alors le rassurer, lui donner autre chose à faire ou le prendre dans vos bras, lui faire sentir qu'il est dans un foyer merveilleux, au sein d'une famille charmante où rien ne peut mal aller.

Ne vous fiez pas aux théories douteuses des voisines ou aux autres conseils du même genre pour élever votre bébé. Il existe de nombreux ouvrages de puériculture, et tous sont généralement d'accord sur ces points: il faut prouver à votre bébé que vous l'aimez et qu'il est le meilleur bébé au monde; soyez patiente; acceptez l'enfant tel qu'il est; n'oubliez jamais d'être bonne envers lui; essayez de lui fournir tout ce que sa croissance physique, intellectuelle et sensible requiert; sachez être fière de votre bébé et faites-en un membre apprécié de la famille. Et si votre mari s'intéresse autant que vous à l'enfant et désire son bonheur, votre vie familiale sera merveilleuse, quoi qu'il arrive. Souvenez-vous cependant que les hommes mettent ordinairement plus de temps que les femmes à s'intéresser à un nouveau-né. Ils semblent souvent désappointés du fait que ce petit être ne les reconnaisse pas et il pourra arriver que papa ne s'occupera de bébé que lorsqu'il sera assez vieux pour jouer avec lui. Ne vous découragez donc pas si votre mari ne montre pas autant d'enthousiasme que vous le désiriez, la première fois qu'il voit votre trésor. Par contre, bien des papas désirent dès les premiers jours voir aux soins et au bain du bébé.

Chaque jour qui passe offre au bébé l'occasion d'apprendre et de s'amuser, que ce soit au moment de l'habiller ou à l'occasion du bain, des repas ou des jeux. Ne soyez pas trop pressée; négligez au besoin d'autres besognes pour vous occuper de votre petit à loisir. Souvent, il suffit à son bonheur d'être dans la même pièce que vous, même si vous ne vous occupez pas de lui. À d'autres moments il veut entendre votre voix, voir votre sourire, sentir vos bras autour de lui.

La peur est un instinct profond et l'enfant peut développer des craintes profondes à la suite d'un bain trop chaud ou trop froid, de bruits inattendus, de chats ou de chiens, ou à cause d'impressions ressenties dans ses chutes. Mais n'allez pas croire que votre enfant a hérité de vos frayeurs personnelles: il les acquiert par votre attitude ou votre comportement. Par exemple, si vous avez peur de l'obscurité, il ne faut pas que vos paroles ou vos actes communiquent cette peur à votre bébé. Si bébé est de bonne humeur et que vous le mettez au lit après un bon repas, il n'a pas besoin d'une lampe-veilleuse.

En vieillissant, le bébé veut agir lui-même, apprendre à se débrouiller seul. Tôt ou tard, il vous enlèvera sa tasse des mains et voudra boire seul. Cela vous semblera une éternité avant qu'il puisse manoeuvrer tasse et cuillère; il renversera bien de la nourriture et brisera beaucoup de vaisselle. Il apprend cependant plus vite que vous ne le pensez et vos encouragements lui seront précieux. Pour ses premiers essais à table, fournissez-lui des tasses et des bols en plastique. Étendez des journaux sous sa chaise pour parer aux dégâts éventuels.

Essayez de ne pas faire voir votre découragement ou votre colère lorsque l'enfant fait quelque chose d'inattendu.

L'enfant d'un an ne discerne pas le "bon" du "mauvais". Vous pouvez lui inculquer de bonnes habitudes, mais ne vous attendez pas à ce qu'il agisse de telle ou telle façon parce qu'il comprend la différence entre le "bien" et le "mal".

Les indications qui précèdent illustrent le développement de bébé, ses diverses réactions face à sa famille et à son foyer; en fait, tous les bébés sont différents, mais ils se développent tous à peu près selon les mêmes modalités. Si vous vous apercevez que votre enfant met trop de temps à se développer ou qu'il réagit avec lenteur aux différents phénomènes qui sont nouveaux pour lui, alors faites-le examiner par votre médecin.

Frères et soeurs

Si vous avez déjà des enfants, il faut les prévenir que le nouveau-né prendra beaucoup de votre temps et qu'il se passera des mois avant qu'il puisse jouer avec eux. Qu'ils le montrent ou non, les enfants plus âgés souffrent toujours de ne plus recevoir l'attention à laquelle vous les aviez habitués. Il faut, durant les premiers mois du nouveau bébé, leur manifester un intérêt spécial. Le papa peut, durant ces premiers mois, s'occuper particulièrement d'eux afin de les convaincre qu'ils gardent toujours la même place dans la famille. Il est extrêmement important de traiter tous les enfants de la famille avec la même tendresse et la même justice.

Gardiennes

Si charmant que soit le bébé, ses parents, sa maman en particulier, ont besoin d'un petit congé de temps à autre. Une épouse peut facilement s'absorber dans ses devoirs de mère au point de négliger son mari, ce qui fait qu'on voit des pères se retourner contre leur enfant. La mère, surtout la mère d'un premier-né, devrait s'appliquer à garder avec son mari cette même communion de pensée et de sentiments qui existait avant l'arrivée de ce petit être, qui réclame tant de temps et d'attention. De plus, il est bon qu'un bébé s'habitue à voir d'autres personnes et qu'il ne dépende pas de la présence constante de ses parents.

Si vous n'avez pas l'avantage d'avoir une parente ou une amie à qui confier le soin de votre bébé, il faut inclure dans votre budget les frais d'une gardienne. Les mères qui ont gardé leur emploi après la naissance de l'enfant devront s'organiser pour trouver quelqu'un qui s'occupera régulièrement du bébé. Il faut choisir consciencieusement entre l'importance du travail de la mère et celle de son devoir de maman.

Que votre gardienne ne vienne chez vous qu'occasionnellement ou qu'elle y reste à la journée longue, assurez-vous que la femme qui prend soin de votre bébé est propre, qu'elle est en santé, qu'elle aime sincèrement les enfants et qu'elle sait s'en occuper. Exigez d'elle qu'elle prenne soin du bébé selon votre manière, afin d'éviter la confusion chez le petit. Assurez-vous que la gardienne sait où vous rejoindre en cas d'urgence. Évitez, si possible de faire garder votre bébé par de nouvelles personnes chaque fois.

Une des complications possibles, si une autre personne prend soin de votre bébé, surtout si elle le fait à la journée longue, c'est que vous en deveniez jalouse, même malgré vous. C'est un danger qu'il faut prévoir et combattre. Le petit est pour le moment, préoccupé uniquement par ses propres besoins, mais ne vous inquiétez pas: vous n'avez pas à lutter contre personne pour gagner l'amour de votre enfant; tout dépendra de votre attitude envers lui; si votre enfant est heureux avec vous, tout le portera à vous aimer.

S'il vous faut mettre votre bébé en pension pour un temps plus ou moins long, choisissez avec infiniment de soin le foyer qui recevra votre tout-petit. Des gens consciencieux ne s'offusqueront pas de ce que vous leur demandiez un certificat de santé. Il est souvent préférable de s'adresser aux sociétés de bien-être ou de protection de l'enfance pour trouver ce foyer sûr.

CHAPITRE QUATORZE

Accidents et premiers soins

Votre bébé ignore tout des dangers qui l'entourent. Vous savez par expérience qu'il faut être prudent quand on se trouve en contact avec des objets chauds, avec le feu, des appareils et machines électriques (machine à laver ou aspirateur, par exemple). Votre bébé ne sait rien de tout cela. À mesure qu'il grandit et qu'il peut se déplacer tout seul, il cherchera à tout connaître: il touchera, palpera, retournera tout, cherchera à tout attraper, multipliera ses expériences nouvelles. Aussi faut-il lui éviter les accidents, tout en le laissant libre d'explorer le monde à sa portée.

Avec le temps, vous enseignerez à votre enfant à se servir de ciseaux, de couteaux, à monter et descendre les marches des escaliers, sans danger et sans crainte. Ne l'effrayez pas en lui disant que l'eau chaude brûle ou que les couteaux coupent. Éloignez tout simplement de lui les objets qui, pendant au moins un an et peut-être plus, comportent pour lui des dangers. Il est vrai "qu'un enfant brûlé craint le feu" mais n'est-il pas préférable qu'il apprenne à se méfier du feu sans subir de brûlure?

Quant aux accidents, il faut surtout les prévenir. Faites disparaître tout ce qui risque d'entraîner un accident, puis surveillez votre enfant, sans montrer trop de nervosité.

Certaines règles fondamentales assurent sa protection:

1. Ne laissez jamais un bébé seul à la maison, même s'il dort.

2. Ne vous éloignez pas de votre bébé s'il est dans son bain, couché sur une table ou s'il joue par terre, surtout dans la cuisine.

Il est parfois bon de laisser un bébé seul, mais il faut alors le placer dans son lit ou son parc, surtout s'il a moins d'un an.

PRÉVENTION DES ACCIDENTS

Avant l'accident

1. Ayez à votre portée la liste des numéros de téléphone suivants:
   - Médecin
   - Hôpital — Service d'urgence — Centre de lutte contre les intoxications
   - Taxi
   - Service d'incendie
   - Poste de police
2. Placez cette liste près du téléphone.
3. Munissez-vous d'une trousse de premiers soins comportant les éléments suivants:
   - Coton hydrophile
   - Savon, pour nettoyer les plaies
   - Compresses stérilisées
   - Bandages, 1″ et 2″
   - Sparadrap, 1″
   - Solution antiseptique
   - Onguent calmant
   - Ciseaux
   - Petits pansements gommés pour les coupures peu importantes
4. Ayez à portée de la main la trousse de premiers soins et une brochure sur l'usage qu'il convient d'en faire.

Asphyxie et étouffement

Un des plus grands dangers que court l'enfant, surtout celui de moins d'un an, est l'asphyxie; elle peut être causée soit par des aliments, soit par de menus objets qui se logent dans la gorge, le larynx ou les poumons de l'enfant. Les bébés et les tout-petits mettent presque n'importe quel objet dans leur bouche car c'est pour eux une façon de connaître la forme et la sensation des choses. D'autres s'enfoncent des objets dans le nez ou les oreilles, à titre d'expérience.

Voilà pourquoi il convient de ne pas laisser à la portée des enfants les objets suivants:

Épingles — y compris les épingles de sûreté et les épingles à cheveux.
Aiguilles et clous, boutons et perles.
Jouets avec parties détachables assez petites pour être avalées, billes et pièces de monnaie.
Yeux de poupée pouvant s'arracher et s'avaler.
Cacahuètes, pois chiches ou maïs grillé et éclaté.
Capsules de bouteilles, de flacons, bouchons de tubes de pâte dentifrice, etc.

Retirez les arêtes de poisson et les petits os de poulet lorsque vous servirez ces mets à des enfants âgés de moins de trois ans.

L'enfant doit avoir son propre lit dans lequel on ne place pas d'oreiller, afin d'éviter tout risque d'asphyxie pendant son sommeil. Ne lui donnez pas un matelas trop mou. Ne l'attachez pas dans son lit. Ses vêtements de nuit ne doivent pas fermer au cou par un cordon resserré. Éloignez son lit des cordons de stores vénitiens. Les barreaux de son lit doivent être rapprochés; sinon, il faut capitonner les montants du lit.

Tenez-le dans vos bras à l'heure du biberon car il risque de s'étouffer s'il boit son biberon seul.

Lorsque vous avez des bébés ou des enfants, ne laissez pas traîner des sacs en matière plastique, comme ceux que l'on emploie pour envelopper les vêtements par exemple. Il vaut mieux jeter immédiatement ces sacs. Il est imprudent de recouvrir les matelas de matière plastique légère, car cette substance colle au nez ou à la bouche de l'enfant et risque de l'asphyxier.

Chutes

Les bébés tombent très fréquemment mais, étant donné leur petite taille, ces chutes ne revêtent guère de gravité. Les chutes à partir d'endroits plus élevés sont évidemment beaucoup plus dangereuses.

Débarrassez l'escalier de tout objet pouvant vous faire trébucher lorsque vous descendez en portant le bébé dans vos bras. Libérez une main afin de vous agripper à la rampe. Une clôture en haut et en bas de l'escalier empêchera le bébé de s'éloigner des endroits sûrs de la maison.

Ne permettez pas aux enfants de s'asseoir ou de se tenir debout sur le rebord des fenêtres. Si vous avez des fenêtres dont le rebord est assez bas et d'où un enfant pourrait tomber, faites poser un barreau en travers de la fenêtre, par mesure de sécurité.

Si le bébé est très actif, attachez-le dans sa voiture ou sa poussette au moyen d'un harnais ou d'une courroie bien ajustés, et ne l'y laissez jamais seul.

Ne laissez jamais, même pendant une seconde, un bébé seul sur un lit, un divan, ou une table, à moins qu'une barrière quelconque ne l'empêche de rouler par terre.

Procurez-vous une chaise haute, dont les pattes, suffisamment écartées, assurent un bon équilibre, et empêchent la chaise de basculer si le bébé remue beaucoup; vous pouvez également acheter une chaise d'enfant formant une table basse.

Enfin et surtout, ne prenez pas pour acquis que le bébé ne peut pas grimper sur telle ou telle chaise, atteindre cette autre fenêtre ou ouvrir la porte de la cave. Il en apprend tous les jours et nous surprend chaque fois qu'il fait quelque chose de nouveau. Allez au-devant de ces initiatives — vous le protégerez ainsi.

Coupures

Si on le leur enseigne, les enfants apprendront, en temps voulu, à se servir de couteaux et de ciseaux. Jusqu'à ce moment là, éloignez les ciseaux, les couteaux, les fourchettes, les crayons et tous les objets pointus et coupants de la portée des enfants. Enveloppez toujours les morceaux de verre brisé dans plusieurs épaisseurs de journaux avant de les mettre dans la poubelle. Celle-ci doit toujours être fermée hermétiquement. Éloignez les poubelles des endroits où votre bébé joue.

En automobile

Dès le début, enseignez la prudence à votre enfant lors des promenades en automobile. Faites poser des ceintures ou courroies de sécurité, bien solides, à l'avant et à l'arrière de votre voiture. Un jeune bébé voyage ordinairement dans les bras d'un adulte ou dans un lit ou un panier prévu pour la voiture. Comme nous l'avons déjà mentionné, l'adulte devrait avoir une ceinture de sécurité bien ajustée et le lit devrait être attaché au siège ou posé sur le plancher.

Ne laissez jamais votre bébé se promener dans la voiture pendant que la voiture est en marche. Dès qu'il est capable de se tenir assis, le bébé doit s'asseoir sur un siège spécial qui lui permette de voir à l'extérieur. Méfiez-vous des sièges munis d'un volant. En cas d'arrêt brutal, ce volant peut blesser l'enfant au visage ou encore à l'abdomen, causant parfois des lésions internes.

Ne laissez jamais votre enfant seul dans la voiture qu'elle soit ou non fermée à clé.

Ne croyez pas qu'un enfant de moins de deux ans n'ira pas dans la rue. Entourez la cour dans laquelle il joue d'une clôture, employez un parc, ou chargez quelqu'un de le surveiller constamment.

Ne sortez pas de votre entrée de garage sans vous assurer que vos enfants ne s'y trouvent pas.

Feu, brûlures, échaudures

Ayez toujours un extincteur dans la cuisine, et, si votre maison a plus d'un étage, il est à conseiller d'en garder un autre près des chambres à coucher, dans l'armoire à linge par exemple. On peut se procurer sans difficultés de très bons extincteurs pour une somme modique. Du reste, les quelques dollars dépensés à cette fin peuvent parfois vous permettre d'économiser plusieurs centaines de dollars en dégâts matériels causés par le feu, sans compter la protection des vies humaines au sein même de votre famille.

Soyez prudente si vous fumez alors que vous êtes près d'un bébé. Il cherchera à attraper le bout allumé de la cigarette; la cendre, en tombant sur lui, peut le brûler. Ne tenez jamais un bébé sur vos genoux pendant que vous buvez quelque chose de chaud.

Fermez les cheminées au moyen d'un rideau métallique. Ne laissez jamais un bébé seul dans une pièce où brûle un feu de cheminée, à moins qu'il ne soit dans son parc.

Placez les allumettes dans une boîte de métal, hors de la portée du bébé.

Les petits s'intéressent beaucoup aux chaudrons et aux poêles qui se trouvent sur le dessus de la cuisinière ou sur la table; aussi est-il prudent de mettre ces articles hors d'atteinte en tournant les manches vers l'arrière de la cuisinière ou vers le centre de la table. Certaines mamans défendent à leurs petits de venir dans la cuisine lorsqu'elles y travaillent. Ne placez pas sur le plancher des chaudières remplies de liquide bouillant, ou, si vous ne pouvez vous dispenser de la faire, interdisez l'entrée de cette pièce aux bébés qui marchent en se traînant par terre.

Ne placez pas le bébé dans son bain sans vérifier au préalable la température de l'eau, en y trempant votre coude.

Faites vérifier l'état de vos appareils électriques, et réparer les fils à découvert, les interrupteurs défectueux ou les prises de courant.

S'il y a chez vous des prises de courant dont vous ne vous servez pas, fermez-en l'ouverture afin que les enfants ne puissent y insérer des épingles, etc. Si vous faites construire ou rénover votre maison, vous pourrez faire installer des prises de sécurité.

Placez les bouilloires ou les vaporisateurs servant à humidifier les pièces hors de la portée des enfants, de même que les petits radiateurs portatifs; ces appareils ne doivent jamais se trouver près de l'enfant ou de la literie. Certains tissus synthétiques, le nylon par exemple, s'enflamment très aisément et par conséquent constituent un grave danger.

Poisons

Gardez sous clé tous les médicaments; n'en donnez jamais dans l'obscurité; soyez certaine de pouvoir lire l'étiquette qui est collée sur le contenant. Mesurez avec soin tous les médicaments que vous donnez. Ne faites pas prendre à des bébés ou des petits enfants des médicaments autres que ceux qui sont prescrits par votre médecin. Pour soigner vos enfants, n'ayez pas recours à des médicaments prescrits à d'autres membres de votre famille.

Agitez tout médicament liquide avant d'en mesurer une quantité prescrite. Ne dites pas aux enfants que le médicament est un bonbon.

N'utilisez pas de médicaments qui sont dans des contenants non étiquetés. Rangez tous les médicaments immédiatement après usage, même si le contenant est muni d'une capsule de sécurité. Indiquez sur le contenant la date d'achat de tout médicament. Jetez dans les cabinets d'aisances les médicaments qui ne servent plus; ainsi vous serez certaine que les enfants ne pourront s'en emparer. Interdisez formellement aux petits de manger ou de boire, selon le cas, des médicaments, produits chimiques, plantes ou petits fruits, sans votre permission. Soyez rigoureuse là-dessus.

Rangez dans une armoire, hors d'atteinte des enfants, tous les produits servant au nettoyage; ne les placez pas sous l'évier de cuisine ni dans des endroits accessibles à de petits enfants.

Ne gardez pas de substances toxiques ou inflammables (produits de nettoyage, térébenthine, kérosène, gazoline, lotions utilisées pour les mises en plis, solution d'acide borique) dans des récipients destinés aux aliments ou aux boissons comme les bouteilles vides de lait ou d'eau gazeuse car votre bébé pourrait décider d'y goûter.

Placez une étiquette sur tous les récipients qui contiennent une matière toxique. Si l'étiquette se perd, jetez immédiatement le contenu dans les cabinets et jetez la bouteille aussi.

Eau

Ne laissez jamais un bébé seul dans un bain, même une seconde. Tant pis, que le téléphone sonne! Retirez l'eau ou couvrez hermétiquement les piscines pour enfants dont vous ne vous servez pas. Il suffit que le nez et la bouche de l'enfant soient immergés pour qu'il se noie.

Les robinets attirent les enfants (ils s'amusent à les tourner) mais plus d'un petit a payé d'une brûlure à l'eau bouillante le prix de sa curiosité. Apprenez-lui à ne pas toucher aux robinets.

Quand devez-vous appeler le médecin

Vous pouvez facilement soigner votre enfant en cas d'accident mineur; cependant, il y a certains cas qui exigent immédiatement les soins d'un médecin. Si votre médecin ne répond pas à votre appel, rendez-vous immédiatement à l'hôpital, dans les cas suivants:

1. Si votre bébé avale un objet pointu, une épingle de sûreté ouverte, une épingle à cheveux, un clou ou une vis par exemple, ou encore s'il s'étouffe.
2. Si l'enfant est ébouillanté ou s'il a subi une brûlure grave.
3. Si un animal l'a mordu.
4. Si, à la suite d'une chute ou d'un coup à la tête, il pâlit, vomit, semble abattu ou s'évanouit.
5. En cas d'hémorragie.
6. En cas d'infection causée par une égratignure ou une coupure, surtout lorsqu'il y a fièvre.
7. Si vous craignez une foulure ou une fracture. Les os des petits enfants ne se cassent pas en deux fragments comme le font ceux des personnes plus âgées; on rencontre surtout des cas de foulure ou de fêlure chez les enfants; il est parfois difficile de s'apercevoir de ces accidents.
8. Si l'enfant a introduit quelque menu objet, soit dans son nez, soit dans ses oreilles.
9. Si vous croyez que l'enfant a avalé des médicaments ou un poison. Une dose inoffensive pour un adulte peut être fatale à un enfant.

Brûlures

Si le feu prend dans les vêtements du bébé, étouffez les flammes en enveloppant l'enfant dans une couverture.

On doit appliquer de l'eau froide à toute brûlure afin d'enrayer la destruction des tissus aux abords de la partie brûlée.

Si la brûlure ne fait que rougir la peau, il suffit d'appliquer un peu de vaseline et de laisser la brûlure à l'air.

Si des cloques se forment à la suite de la brûlure, appliquez un pansement léger et consultez votre médecin.

Si votre enfant subit des brûlures très graves ou s'il est ébouillanté, enveloppez-le dans un drap propre et une couverture et transportez-le d'urgence à l'hôpital.

Poisons

Ayez toujours recours au médecin en cas d'empoisonnement. Si aucun n'est disponible sur-le-champ, conduisez le bébé à l'hôpital. Conservez la bouteille ou le contenant où se trouvait le poison ou le produit avalé afin que le médecin sache ce que votre enfant a pris. Selon la nature du poison, il faudra provoquer ou non des vomissements chez l'enfant.

Ne provoquez pas de vomissements si votre enfant avale:

— Du kérosène, de la gazoline, de la benzine, des produits de nettoyage, de l'encaustique pour meubles, de la térébenthine.

— De la lessive ou soude caustique.

— Des acides très puissants tels les acides nitrique ou sulfurique.

Dans presque tous les autres cas d'empoisonnement, provoquez les vomissements de l'enfant. Pour faire vomir le bébé, donnez-lui d'abord à boire de l'eau ou du lait. Puis, placez l'enfant sur vos genoux, comme si vous alliez lui administrer une fessée. Provoquez des haut-le-coeur en introduisant le doigt dans la gorge de l'enfant. S'il ne vomit pas, faites-lui avaler la plus grande quantité possible de liquide et essayez de nouveau de le faire vomir. Tenez-lui la tête assez basse lorsqu'il vomit afin d'éviter qu'il s'étouffe.

Si l'enfant est inconscient, n'essayez pas de le faire vomir ni de lui donner à boire.

Étouffement

Lorsqu'un objet quelconque se loge dans la gorge de votre enfant et qu'il s'étouffe, placez l'enfant tout de suite la tête en bas, puis, le tenant par les jambes ou les chevilles, tapez-lui dans le dos. Si vous n'arrivez pas ainsi à le soulager, conduisez-le tout de suite à l'hôpital le plus rapproché. Ne tentez pas de sortir l'objet de sa gorge avec vos doigts, vous risquez de l'enfoncer davantage.

Si votre bébé cesse de respirer et qu'aucun médecin n'est disponible, employez la respiration artificielle. La méthode bouche à bouche est la plus facile et la plus recommandable quand il s'agit d'un bébé.

Chutes, foulures et fractures

Si un bébé semble abattu après une chute, ou s'il perd connaissance, il souffre peut-être d'une blessure à la tête. Il faut immédiatement appeler votre médecin ou conduire l'enfant à l'hôpital le plus près.

Si votre enfant se plaint après une chute, ou si vous constatez une déformation ou anomalie du membre blessé, appelez votre médecin et, en attendant son arrivée, efforcez-vous de calmer l'enfant. Foulure ou fracture? Seul le médecin peut se prononcer. Si vous devez déplacer l'enfant, fabriquez une attelle avec un bout de bois afin de tenir le bras ou la jambe blessée en

place. Isolez le bras ou la jambe du bois de l'attelle au moyen d'un tissu léger mais souple (une petite serviette fait très bien l'affaire) puis, maintenez l'attelle au moyen de mouchoirs ou de bandages. En cas de possibilité de blessure au dos ou au cou, évitez tout déplacement de l'enfant qui ne soit pas absolument nécessaire. Si vous devez le déplacer, transportez-le toujours au moyen de quelque chose de plat.

Coupures et hémorragies

Toute coupure doit d'abord être nettoyée afin d'éviter l'infection; il faut ensuite arrêter l'écoulement de sang en comprimant la plaie. Nettoyez à fond l'égratignure ou la coupure, en employant du savon et de l'eau; couvrez la plaie d'une compresse de gaze stérile, que vous fixez avec du sparadrap. N'employez pas d'onguent ou autre produit qui amollit la peau et garde la plaie ouverte. Ne retirez pas le premier pansement que vous aurez fait car vous risquez chaque fois de rouvrir la plaie.

Si vous ne réussissez pas à arrêter l'hémorragie, appliquez plusieurs compresses de gaze stérilisée sur la plaie et comprimez plus fort pendant quelques minutes jusqu'à ce que le sang cesse de couler. Ne retirez pas ces compresses mais ajoutez-en l'une sur l'autre et fixez le tout avec du sparadrap.

Ne serrez jamais un bandage au point de rendre la circulation difficile. Tenez si possible le membre blessé dans une position élevée afin de hâter l'arrêt de l'hémorragie.

Dès que l'hémorragie diminue, appelez votre médecin ou conduisez l'enfant à l'hôpital.

APPELEZ VOTRE MÉDECIN: En cas de blessure profonde ou lorsqu'il peut y avoir de la poussière ou du fumier sous la plaie. Votre médecin donnera à votre bébé une injection antitétanique. Si votre bébé a été immunisé contre le tétanos en même temps qu'il a reçu les autres injections usuelles, une injection de rappel suffira; elle est cependant essentielle.

Morsures et piqûres

Lorsqu'un animal mord votre enfant, avertissez votre médecin immédiatement. En attendant son arrivée, soignez la blessure comme s'il s'agissait d'une simple coupure.

S'il s'agit d'une piqûre d'insecte, retirez s'il y a lieu, le dard au moyen d'une pince à épiler. Faites des compresses trempées dans une solution composée d'ammoniaque et d'eau en parties égales, ou de bicarbonate de soude et d'eau, afin de neutraliser l'acide, source de douleur.

Particule logée dans l'oeil

Lavez-vous les mains avant de toucher aux yeux de votre bébé. Faites en sorte qu'il ne se frotte pas l'oeil atteint. Il est bon d'emmailloter le bébé afin de l'empêcher de bouger lorsque vous le soignez. On peut parfois retirer la poussière de l'oeil en tirant la paupière supérieure vers la paupière inférieure pendant quelques secondes. Il en résulte des larmes qui en coulant entraînent parfois la poussière hors de l'oeil.

Il est utile parfois de baigner l'oeil. Utilisez à cet effet de l'eau bouillie refroidie, additionnée d'un quart de cuillère à thé de sel pour chaque tasse d'eau. Versez quelques gouttes de ce liquide dans l'oeil du bébé, avec un compte-gouttes ou une cuillère propres. Si l'irritation persiste, consultez votre médecin. Ne cherchez pas à retirer la poussière de l'oeil du bébé au moyen d'un tampon ou d'un coin de mouchoir.

QUATRIÈME PARTIE

Bébés exigeant des soins spéciaux

CHAPITRE QUINZE

Bébés prématurés et jumeaux

Les parents ont parfois des inquiétudes quand il s'agit de donner des soins à un bébé prématuré, à sa sortie de l'hôpital. Souvent, les autorités médicales de l'hôpital ne laissent les parents emporter leur bébé à la maison que lorsqu'il se porte bien et que son poids dépasse 5 livres. Le présent chapitre a pour fins de donner des renseignements utiles aux parents d'un bébé prématuré, de même que certaines instructions de première importance pour les cas où l'accouchement est imminent et doit se faire à la maison.

Le bébé prématuré est celui qui naît quelques semaines avant terme ou qui pèse moins de cinq livres et demie. Les jumeaux ou les triplets, même s'ils naissent à terme, pèsent souvent moins que ce poids et on doit, au cours des premières semaines qui suivent leur naissance, les traiter comme des prématurés.

Dans la lutte qu'il mène pour la vie, le bébé prématuré est désavantagé à plusieurs points de vue: il a particulièrement beaucoup de difficulté à garder une température constante, à respirer, à avaler et digérer la nourriture qu'on lui donne, et à résister aux infections. Même s'il réussit à surmonter tous ces handicaps, il n'en reste pas moins faible, il s'épuise rapidement, et demande des soins particuliers.

Envoyez-le à l'hôpital

Tous les prématurés, surtout ceux qui pèsent moins de quatre livres et demie, devraient être hospitalisés immédiatement. Il leur faut des soins par des experts et ordinairement un équipement très perfectionné, que l'on ne trouve pas dans une maison privée. Il peut y avoir, près de votre domicile, un hôpital qui dispose d'incubateurs portatifs, alloués au transport des prématurés; sinon, votre médecin de famille vous indiquera comment vous y prendre pour transporter votre bébé à l'hôpital. S'il arrivait que le mauvais temps ou le piètre état des routes étaient tels qu'il serait plus dangereux de transporter le bébé à l'hôpital que de le garder chez-vous, demandez à votre médecin de famille, au médecin du bureau de l'unité sanitaire de votre région ou à une infirmière hygiéniste, de vous indiquer les soins qu'il faut donner au bébé ou aux bébés à la maison.

S'il vous faut garder le prématuré à la maison

Cinq problèmes principaux sont à considérer:

1. CHALEUR — Gardez le bébé à une température constante de 80 degrés et protégez-le contre les changements de température. C'est l'activité des muscles qui, en partie, produit la chaleur. Les muscles du prématuré ne sont pas développés et il ne peut s'en servir autant qu'un bébé normal. Il se refroidit rapidement parce qu'il ne possède pas encore cette couche de graisse qui agit comme isolant et retient la chaleur. Les tissus graisseux sont les derniers à se former avant la naissance et l'enfant né avant terme en est dépourvu; c'est pourquoi le prématuré a plus de difficulté que les autres bébés à se réchauffer. Il a aussi de la difficulté à se rafraîchir s'il a trop chaud, parce que les glandes de la peau sont à peine développées et il ne peut régulariser sa température en transpirant.

Le premier et le plus important besoin du prématuré est donc une chaleur constante et assez élevée (d'au moins 80 degrés).

2. RESPIRATION — Surveillez-le constamment pendant les premières vingt-quatre heures, jusqu'à ce qu'il respire régulièrement et librement. Il peut même arriver que sa respiration soit irrégulière pendant plusieurs jours; si le bébé a un teint rosé c'est que la respiration est satisfaisante.

Tous les bébés naissants ont des sécrétions dans la gorge dont il faut les débarrasser, soit par gravité soit par aspiration. Il est bon d'élever le pied du berceau de 6 pouces pour favoriser l'écoulement des sécrétions. Mais, le prématuré est aussi handicapé du fait que les cellules nerveuses qui règlent la respiration fonctionnent mal; de plus, la faiblesse du bébé l'empêche de dilater ses poumons par des cris ou des mouvements. Il faut donc le surveiller un certain temps, même après l'établissement de la respiration, pour s'assurer qu'elle se maintient et ne faiblit pas.

3. ALIMENTATION — Les bébés normaux savent téter et avaler, mais certains prématurés naissent avant que ces réflexes ne se soient développés. L'estomac du prématuré est petit et il se fatigue vite de sorte que son alimentation exige des soins et une attention particulière.

Le prématuré qui ne peut pas téter doit être nourri avec un compte-gouttes, en laissant tomber le lait bien en arrière de la langue. Si l'enfant ne peut avaler, il faudra l'hospitaliser pour le nourrir à l'aide d'un tube. Habituellement, il faut nourrir le bébé prématuré plus souvent que le bébé normal, ce qui le fatigue encore car il doit conserver toutes ses forces; raison de plus pour que le prématuré soit soigné par un expert.

Même s'il réussit à avaler, le prématuré peut souffrir de vomissements, de dilatation de l'estomac ou de diarrhée, parce qu'il n'est pas encore en mesure de bien digérer.

4. DANGER D'INFECTION — Aucune personne enrhumée ou souffrant d'une autre infection ne devrait s'occuper d'un bébé prématuré. Le prématuré est particulièrement sensible à l'infection. Il semble privé jusqu'à un certain point de cette immunité naturelle transmise par la mère et qui protège les bébés plus vigoureux

contre certaines maladies. Il faut donc le protéger contre l'infection en prenant un soin méticuleux dans la préparation de son lait, en se lavant les mains à fond et en le laissant approcher par le moins de personnes possible.

5. *FATIGUE* — Il est bon de manipuler le prématuré le moins possible, pour éviter de le fatiguer.

Incubateur fait à la maison

La mise en incubateur est essentielle pour sauver le prématuré. Pour en fabriquer un à la maison, servez-vous du plus petit berceau que vous ayez, d'un panier ou d'un tiroir. Garnissez-le d'un matelas ferme mais jamais d'oreiller. Plus l'incubateur sera petit, plus il sera facile d'y garder la chaleur nécessaire. Étendez des draps audessus du petit lit, laissant l'espace voulu pour la circulation de l'air, et réchauffez-le à l'aide de sacs d'eau chaude placés de chaque côté. Si vous manquez de sacs ou de bouteilles, vous pouvez chauffer au four des pierres ou des sacs de sable que vous enveloppez d'une couverture de façon qu'ils ne touchent jamais le bébé. Ne mettez jamais dans l'incubateur un objet si chaud que votre main ne puisse l'endurer et ne laissez jamais aucune source de chaleur toucher le bébé. Changez les sacs dès qu'ils commencent à refroidir, c'est-à-dire à peu près à toutes les heures. Ne les enlevez pas tous à la fois, mais l'un après l'autre. La température de l'incubateur doit demeurer constante à environ 80 degrés.

Si l'air est sec, tâchez de garder dans la pièce de l'eau en ébullition. L'humidité contribue à drainer les sécrétions de la gorge du bébé et prévient l'évaporation rapide de la sueur, ce qui entraîne une perte de chaleur.

Soins à donner au prématuré

Ayez soin de vous laver les mains chaque fois que vous devez manipuler le bébé et après l'avoir changé de couche.

Durant les premières vingt-quatre heures, le prématuré n'a besoin ni de boire ni de manger, mais vous devez le changer de côté toutes les heures ou demi-heures. Ne le dérangez pas si ce n'est pour le changer de couche ou le retourner; il a besoin de repos mais surveillez-le de temps en temps pour voir si tout va bien.

Revêtez-le d'une camisole et d'une robe de flanellette, de chaussons et d'un bonnet. N'attachez pas sa couche trop serrée entre les jambes afin de ne pas irriter sa peau délicate. Changez rapidement ses couches de façon à ne pas l'exposer au froid. Couvrez-le de couvertures de flanelle et éloignez de son visage tout lainage dont il pourrait aspirer le duvet. Ne lavez pas ses effets dans la lessive familiale, mais séparément et faites-les bouillir.

Durant les premiers jours, prenez sa température deux fois par jour en glissant un thermomètre rectal sous l'aisselle et en l'y maintenant de trois à cinq minutes. Sa température peut varier entre 96 et 99 degrés mais pour autant qu'elle soit constante, sans hausse ni baisse, il ne faut pas s'inquiéter. Quand sa température se sera stabilisée, vous n'aurez plus à la vérifier que si votre médecin le demande.

Durant les premiers jours, vous n'avez pas à le sortir de l'incubateur. Vous pouvez le nourrir et le changer sans le déplacer et il n'est pas nécessaire de le baigner avant au moins une semaine. Les sécrétions qui recouvrent son corps à la naissance sécheront et s'écailleront; il ne faut laver que les parties du corps souillées par les vomissures ou l'urine. Lavez-les à l'eau chaude avec ou sans savon doux, séchez-les soigneusement et enduisez-les d'huile minérale si vous le désirez, bien que cela ne soit pas nécessaire.

Alimentation du prématuré

Comme tous les autres bébés, le prématuré perd du poids durant les tout premiers jours, qu'il regagne lentement par la suite. Si tout semble bien aller, ne vous inquiétez pas de son poids: les gains sont toujours lents au début.

Si l'accouchement a eu lieu à la maison, on peut attendre vingt-quatre heures avant de lui donner à manger, à moins d'avis contraire du médecin. S'il pèse plus de quatre livres et demie, donnez-lui le sein à toutes les deux ou trois heures.

Votre médecin vous donnera des conseils sur les heures de tétée et la façon de nourrir le bébé.

Symptômes d'urgence

Appelez immédiatement le médecin si le bébé présente des signes de complications, par exemple:

— s'il lui arrive de devenir souvent "bleu"
— si sa respiration est bruyante
— si, à chaque respiration, ses côtes semblent vouloir s'enfoncer au lieu de se dilater
— en cas de diarrhée
— en cas de vomissement
— en cas de convulsion
— en cas de température irrégulière
— s'il refuse plusieurs repas.

Si votre bébé présente l'un ou plusieurs de ces symptômes, il a besoin immédiatement de soins médicaux pour le diagnostic et le traitement. Il faut donc l'envoyer à l'hôpital le plus rapidement possible.

L'état normal

Quand le prématuré aura atteint cinq livres et demie, traitez-le comme un bébé normal. Voyez dans notre troisième section les conseils qui s'appliquent aux soins à donner à un bébé. Tant qu'il n'aura pas atteint ce point, le bébé ne doit pas sortir, même en été, et la température de sa chambre ne doit jamais être inférieure à 70 degrés.

Le seul fait de naître trop tôt ne constitue pas un handicap, surtout s'il n'y a pas d'autres complications. Cependant, pendant quelque temps, le prématuré mettra peut-être plus de temps à se développer qu'un bébé normal né à terme.

CHAPITRE SEIZE

Le bébé malade

Les bébés ne réagissent pas à la maladie de la même façon que les adultes. Ils tombent malades plus rapidement que les grandes personnes mais guérissent aussi plus vite.

Il y aura des jours où vous vous demanderez si votre bébé est simplement de mauvaise humeur, maussade ou s'il est vraiment malade. Soudainement, il manquera d'appétit ou pleurera sans arrêt, quoi que vous fassiez. S'il ne fait pas de fièvre, s'il mange assez bien ou si ses intestins fonctionnent, surveillez-le tout de même, mais ne vous inquiétez pas. Une bonne nuit de sommeil et souvent, tout va bien le lendemain.

Les cris

Il est normal et il est même bon pour le bébé de crier un peu. Certains bébés pleurent parce qu'ils s'ennuient et l'affection maternelle suffit souvent à sécher les larmes. Les bébés pleurent parce qu'ils sont mal à l'aise. Ils sont fatigués de demeurer dans la même position et veulent simplement qu'on les retourne. Ils pleurent parce qu'ils sont mouillés ou salis et qu'ils en sont incommodés, particulièrement s'ils ont une peau sensible. Une couche propre, et la bonne humeur revient.

Un bébé qui crie peut avoir ou trop froid ou trop chaud. Si sa peau et sa tête sont humides, il est probablement trop chaudement vêtu. En été, habillez-le légèrement lorsqu'il fait chaud. Le bébé qui a froid a les mains et les pieds bleus. Il faut vous rappeler que le bébé ne s'adapte pas à de brusques changements de température aussi rapidement qu'un adulte le peut. Assurez-vous toujours que la température de la pièce où il se trouve est confortable, c'est-à-dire de 70° ou 72°. Les vêtements et les couvertures ne le protègeront peut-être pas contre le froid. Si le bébé a froid, ajoutez des chaussons ou une couverture chaude plutôt que de le surcharger de gilets de laine. Si vous vous servez d'une bouillotte, elle doit être couverte; il ne faut pas qu'elle soit trop chaude, ce qui pourrait irriter la peau de l'enfant. La bouillotte ne doit pas toucher au bébé.

Vous apprendrez bientôt à interpréter les cris de votre bébé. Il ne pleure pas de la même manière quand il a faim et quand il ne veut pas dormir; s'il souffre, ses cris sont vibrants et perçants et il pleurniche quand il est simplement mal à son aise. Vous découvrirez vite s'il pleure parce qu'il veut qu'on s'occupe de lui. À mesure qu'il vieillira, il criera à fendre l'air, s'arrêtera pour écouter si vous accourez, et reprendra de plus belle, simplement parce qu'il a besoin de compagnie.

Bien des mamans sont devenues esclaves de ce genre de cris; donc, si rien ne nuit au confort de bébé . . .

et s'il cesse de pleurer, si son petit visage rouge s'épanouit dans un sourire dès qu'il vous aperçoit . . .

Vous pouvez en conclure que tout ce qu'il veut c'est qu'on s'occupe de lui.

Si vous ne voulez pas que votre bébé vous réclame à tout moment, la meilleure chose à faire c'est de lui sourire, de lui parler un peu, de lui mettre une couche sèche, peut-être de le changer de position, de lui faire une caresse et, fermement, de vous en retourner.

Quand appeler le médecin

La meilleure indication d'une maladie possible est la gravité des symptômes ou leur durée. La maladie d'un bébé peut se déclencher soudainement ou lentement. N'attendez pas trop longtemps avant d'appeler le médecin si les modifications dans l'apparence et le comportement du bébé sont marquées. La maladie peut se manifester par . . .

. . . une véritable irritabilité ou de la somnolence;

. . . le refus continuel de manger durant une journée;

. . . des cris caractéristiques (perçants ou faibles vagissements);

. . . des vomissements

. . . de la diarrhée

. . . un nez qui coule, une respiration rapide et bruyante, une voix enrouée ou de la toux

. . . une fièvre de plus de 101 degrés ou une pâleur inhabituelle et une sensation de froid

. . . des convulsions

. . . une éruption.

En attendant le médecin, gardez le bébé calme et au chaud. Éloignez les autres enfants et si le bébé semble plus confortable dans vos bras, bercez-le. S'il a la diarrhée, ne lui donnez rien, sauf de l'eau et du sucre (1 c. à thé pour 3 onces d'eau). S'il vomit, ne lui donnez aucun aliment, ni liquide, ni solide. S'il ne vomit pas, il peut boire tant qu'il le désirera. Ne vous inquiétez pas s'il ne veut pas manger. Il a besoin de liquides mais non pas nécessairement de solides.

S'il a très chaud, et s'il est fiévreux, donnez-lui un bain d'éponge à l'aide d'alcool (quantités égales d'eau et d'alcool).

S'il a de la fièvre, prenez et notez sa température toutes les quatre heures. En cas de diarrhée, notez le nombre, la couleur et la consistance des selles. S'il vomit, notez le nombre, la quantité et le genre de vomissements. Ces renseignements aideront le médecin à découvrir la cause du mal.

Comment prendre la température du bébé

Il est préférable de prendre la température du bébé au rectum. Le thermomètre rectal est muni d'une ampoule courte qui en facilite l'insertion. Placez le bébé à plat ventre sur vos genoux ou de côté dans son lit. Enduisez le bout du thermomètre de vaseline et insérez-le doucement dans le rectum à peu près un demi-pouce. Tenez-le pendant 1 ou 2 minutes pour qu'il reste en place. On peut aussi prendre la température en plaçant le thermomètre sous le bras. Il faut alors le tenir pendant une à deux minutes. La température rectale est généralement plus élevée d'un degré que la température prise dans la bouche ou sous le bras. Nettoyez le thermomètre avec de l'eau et du savon après usage. Ne le lavez pas à l'eau chaude. Il est préférable de conserver un thermomètre qui ne servira qu'au bébé.

La température des bébés et des enfants monte facilement. Ce n'est pas tant le degré de température qui compte que la durée de la fièvre et son effet sur le bébé. La température normale des bébés varie de 98.3 à 99.6 degrés. Une température de plus de 101 degrés justifie un appel au médecin. C'est le signe d'une infection qui peut être bénigne, mais qu'il faut surveiller.

Convulsions

La température élevée cause parfois, chez les bébés, des convulsions. Les convulsions terrifient les parents qui ne peuvent se persuader qu'elles sont moins dangereuses qu'elles ne paraissent. Les yeux du bébé roulent; l'enfant raidit, il pâlit, ses membres se contractent par saccades et il perd connaissance. Les convulsions peuvent durer quelques minutes. Restez calme et veillez à ce que le bébé ne se blesse pas. Mettez-lui un mouchoir plié dans la bouche pour empêcher les morsures des lèvres et de la langue, mais avec précaution, pour ne pas l'empêcher de respirer. S'il y a lieu, essuyez la salive mousseuse sur ses lèvres afin qu'il ne l'avale pas. Sa température sera probablement très élevée; elle atteindra peut-être 105 degrés. Donnez-lui un bain d'éponge à l'aide d'alcool (quantités égales d'eau et d'alcool); ceci contribuera à abaisser la fièvre. Faites attention de ne pas trop couvrir un enfant en pleines convulsions, car la chaleur ferait monter sa température encore davantage.

Les convulsions elles-mêmes ne représentent pas un problème, mais l'origine des convulsions en est un. Avertissez votre médecin lorsque votre bébé a des convulsions. Si vous ne pouvez pas le rejoindre, conduisez votre enfant à l'hôpital pour un examen médical.

TROUBLES DIGESTIFS

Presque tous les bébés, à un moment ou à un autre, digèrent mal. Cette mauvaise digestion peut se manifester par des pleurs après les repas, des vomissements, des selles liquides, des coliques, de la constipation et aussi par une apparence maladive.

Ces déséquilibres peuvent indiquer le début d'une maladie quelconque, mais ils peuvent aussi dépendre d'une cause facile à corriger, comme une alimentation mal appropriée, la sous-alimentation, la suralimentation ou le manque de sommeil.

Diarrhée (selles liquides)

La diarrhée chez le bébé est une maladie grave. Elle peut indiquer une infection des intestins habituellement causée par des microbes provenant de son biberon, de son lait, des mouches ou d'une autre personne. La diarrhée peut aussi être le symptôme d'une maladie ou irritation en dehors de l'intestin.

Le bébé commence par pleurnicher puis il a de violentes coliques. Ses selles sont liquides ou vertes et très fréquentes. Il maigrit, semble abattu et s'affaiblit à vue d'oeil. Au premier signe de diarrhée grave, appelez le médecin et, en attendant son arrivée, ne donnez au bébé que de l'eau bouillie et du sucre en petites quantités et à intervalles réguliers (une once toutes les heures). Une cuillérée à thé de sucre pour trois onces d'eau bouillie est une solution qui convient. Ne donnez pas de nourriture solide. Pour éviter de le fatiguer, ne lavez l'enfant qu'à l'éponge et non dans sa baignoire. Entre les biberons d'eau et de sucre vous pouvez lui offrir un peu de jus d'orange dilué. Si vous lui donnez de petites quantités de liquide, l'enfant pourra le garder même s'il a eu des vomissements au début de la diarrhée.

Prenez un soin particulier des couches sales. Lavez-vous minutieusement les mains après avoir touché le bébé ou ses vêtements et faites bouillir les couches durant cinq minutes jusqu'à ce que l'enfant soit guéri.

Quand la température est redevenue normale et que les selles sont moins fréquentes, faites manger votre bébé de nouveau. Si vous ne l'allaitez pas, appauvrissez sa formule en la coupant de moitié avec de l'eau bouillie et en utilisant du lait écrémé à la place du lait entier. Le deuxième jour, augmentez la richesse du lait si l'enfant semble se rétablir. Le troisième jour, donnez à l'enfant sa formule régulière. Si le bébé mangeait de la nourriture solide avant de tomber malade, redonnez-lui en graduellement dans l'ordre où vous avez commencé la première fois.

De brefs épisodes de diarrhée bénigne peuvent se produire de temps en temps et résulter d'un changement de régime ou du fait que l'enfant prend trop de sucre, ou mange trop. Ne lui donnez pas de nourriture solide pendant une journée; mais laissez lui ses boires que vous couperez avec de l'eau, pour un total d'au moins trois onces par livre de poids pendant 24 heures. Le lendemain, si ses selles sont normales, offrez lui graduellement son régime alimentaire normal.

Vomissements

Le bébé remet fréquemment un peu de nourriture après son repas. Ce n'est pas ce qu'on appelle un vomissement mais une régurgitation. Il rejette le surplus de lait qu'il a bu; c'est un indice qu'il a trop mangé, ou qu'il a avalé de l'air et que vous devriez lui faire passer ses gaz durant le boire, ou qu'il remue trop après avoir mangé. Toutefois, si l'enfant se mettait à vomir souvent, ne lui donnez plus de nourriture. S'il présente d'autres symptômes, appelez votre médecin. Donnez à l'enfant une once d'eau bouillie avec du sucre environ toutes les heures. Si les vomissements continuent, ne lui donnez plus d'eau jusqu'à ce que vous consultiez le médecin.

Constipation

Le bébé est constipé quand ses selles sont dures. Ce n'est ni la fréquence ni la régularité des selles qui sont importantes mais leur consistance. Si les selles du bébé sont souvent dures, il faut y remédier avant que la difficulté d'aller à la selle le pousse à se retenir. Donnez-lui plus de légumes et de fruits, particulièrement des pruneaux tamisés ou du jus de pruneaux; si la condition ne s'améliore pas, changez le sucre granulé pour du sirop de maïs ou de la cassonade dans la préparation de ses biberons. Une consommation accrue de liquides remédiera peut-être au problème.

La constipation est souvent signe de sous-alimentation surtout si elle s'accompagne de cris bien avant l'heure où le bébé devrait avoir faim ou encore immédiatement après avoir mangé. Consultez votre médecin dans des cas tenaces et n'administrez pas de laxatifs ou de lavements à votre bébé sans que le médecin ne l'ait autorisé.

Hoquet

Il arrive souvent que les bébés aient le hoquet, de façon brusque et bruyante. Un peu d'eau chaude ou un changement de position le soulagera, mais la plupart du temps, il cesse de lui-même en quelques minutes.

Coliques

Les coliques sont une douleur abdominale qui survient par crises. Elles sont probablement d'origine intestinale et elles se produisent le soir chez les enfants âgés de moins de trois mois. Elles s'accompagnent de cris perçants et persistants qui continuent même lorsque la mère prend l'enfant dans ses bras.

L'enfant qui souffre de coliques est bien malheureux. Les jambes relevées, les genoux pliés, le visage tout rouge et le ventre rigide, il crie et pleure, souvent durant des heures.

L'origine des coliques est inconnue mais les coliques ont probablement plusieurs causes. Elles commencent généralement lorsque le bébé est âgé de deux ou trois semaines et durent jusqu'au troisième ou quatrième mois. Elles cessent généralement soudainement. Les coliques affligent surtout les enfants particulièrements actifs et éveillés. Il est curieux de constater que les enfants affligés de coliques se développent habituellement très bien. Votre seule consolation, c'est que les coliques disparaîtront éventuellement pour ne plus revenir.

Votre enfant a peut-être des coliques parce qu'il a faim ou que son régime est trop pauvre. N'expérimentez pas sur lui divers médicaments et n'essayez pas de modifier sa formule. Votre médecin pourra vous aider à remédier à ce problème.

Vous ne pouvez pas faire grand chose pour soulager le bébé, sauf en lui aidant à "renvoyer son air", en le tenant calme et au chaud et en le réconfortant par beaucoup de tendresse et de câlineries. Vous pourrez parfois soulager le bébé en le plaçant sur vos genoux à plat ventre et en lui frottant le dos. Les coliques s'accompagnent souvent de gaz dans les intestins. Il arrivera que rien ne soulagera les coliques. Seul le temps les fera disparaître.

La maman dont le bébé souffre de coliques doit tout faire pour ne pas céder au découragement et à la dépression. Arrangez-vous pour le faire garder de façon à sortir de temps à autre. Pour vous encourager, pensez au jour où soudainement les coliques et les cris cesseront.

MALADIES DE LA PEAU

Éruption ou érythème du siège

Un bébé peut présenter une éruption ou une inflammation du siège et c'est ce que l'on appelle érythème fessier. Certains bébés y sont particulièrement sensibles, spécialement ceux qui ont le teint clair. L'irritation peut résulter d'un rinçage incomplet des couches, ou du fait que le bébé ait été mal nettoyé et mal asséché après son bain, ou encore des résidus de poudre dans les plis cutanés. Mais la plupart du temps la cause en est l'ammoniaque produite par des bactéries qui agissent sur l'urine des couches.

Un soin minutieux apporté aux couches et des changements plus fréquents empêcheront l'érythème du siège. Rincez les couches avec soin en changeant l'eau de deux à quatre fois pour enlever les détersifs ou les savons forts. Ne passez pas les couches à l'eau de Javel. Pour prévenir la formation de bactéries qui donnent naissance à l'ammoniaque, faites bouillir les

couches plusieurs fois par semaine et même les draps et les pyjamas qui viennent en contact avec l'urine. Faites-les sécher au soleil ou repassez-les au fer chaud.

Ne mettez pas de culotte de caoutchouc à un bébé qui souffre d'érythème du siège, sauf dans des cas très spéciaux et pour de très brèves périodes. Ces culottes gardent l'urine en contact avec les fesses du bébé puisqu'elle n'est pas absorbée par des draps et des piqués. Chaque fois que vous devez changer le bébé, asséchez-le avec soin et exposez son siège à l'air le plus longtemps possible. Si le bébé est âgé de quelques semaines, vous pouvez lui faire prendre un bain de soleil rapide en exposant les fesses. L'éruption devrait disparaître en quelques jours.

Si, après avoir essayé ces différentes mesures, l'éruption ne disparaît pas, n'utilisez pas de médicaments sans d'abord consulter votre médecin.

Échauffaison

Quand il fait chaud, ou quand l'enfant est trop chaudement habillé, la peau de son visage ou des parties du corps qui sont trop enveloppées peut présenter une éruption de petites bulles ou vésicules. Habillez-le plus légèrement et changez-le plus souvent. Épongez-le délicatement et appliquez un peu de poudre de façon à garder la peau sèche et confortable.

Eczéma

Cette maladie de la peau est très répandue chez les enfants âgés de moins de deux ans. L'eczéma peut se manifester par une légère rougeur et de la squamosité, ou par des plaques rouges qui forment des vésicules. Ces cloques éclatent et sécrètent un liquide qui forme une croûte. Cela cause toujours une démangeaison intense. L'eczéma couvre le plus souvent les joues, le front et le cuir chevelu mais il peut se répandre sur les membres, dans les replis des coudes et des genoux. Plus tard, tout le corps pourra en être atteint.

L'eczéma résulte probablement d'une allergie et le bébé peut être allergique à des aliments ou à des substances qui l'entourent. Le bébé qui souffre d'eczéma est souvent issu d'une famille où on trouve la présence de maladies telles que l'asthme ou la fièvre des foins. La démangeaison intense rend le bébé agité et souvent irritable, et il éprouvera de la difficulté à dormir. De plus, les lésions s'infecteront si le bébé se gratte trop.

Vous devez toujours consulter votre médecin si vous avez des raisons de croire que votre bébé souffre d'eczéma. Suivez bien les conseils de votre médecin. Il importe de plus que votre enfant ne soit pas immunisé contre la variole s'il souffre d'eczéma. Si vous avez d'autres enfants, votre médecin vous dira si vous devez les faire vacciner. Ne lavez pas le bébé avec du savon puisque même les savons les plus doux irritent souvent la peau du bébé. Votre médecin vous recommandera probablement de lui nettoyer la peau avec de l'huile. Assurez-vous que la peau du bébé ne vient pas en contact avec la laine des vêtements, des couvertures, des jouets de laine et des tapis puisque la laine irrite facilement la peau. Aussi, les tissus de nylon sont quelquefois irritants. Le coton est le meilleur tissu à utiliser pour un enfant qui souffre d'eczéma.

Impétigo

L'impétigo est une inflammation contagieuse de la peau. La peau se couvre de pustules qui crèvent et sont remplacées par des croûtes jaunâtres. L'impétigo se répand rapidement, surtout par le grattage, à moins d'être traité immédiatement. Faites bouillir le linge et les serviettes du bébé et faites-les sécher au soleil ou repassez-les au fer chaud. Si d'autres membres de la famille souffrent de la maladie, il faut les traiter immédiatement suivant les conseils du médecin. Il existe des médicaments efficaces pour guérir cette affection et il n'y a rien qui justifie les retards qu'on prend parfois pour guérir le bébé de l'impétigo.

Muguet

Le muguet est attribuable à une infection des muqueuses de la bouche, produite par un champignon. Le muguet se manifeste par des plaques blanchâtres à l'intérieur des joues, aux gencives et sur la langue. Il ne faut pas méprendre ces plaques pour le lait caillé qui leur ressemble mais qui s'enlève facilement et ne laisse pas une surface vive. Le muguet est en général une affection bénigne si elle survient chez des enfants sains et disparaît sans conséquence grave. Le muguet découle de la stérilisation insuffisante des biberons, des tétines et des objets qui servent à la préparation des formules. Consultez votre médecin sur la façon de traiter cette éruption.

RHUMES ET MALADIES DES VOIES RESPIRATOIRES

Rhumes

Bien que nous soyons tous portés à avoir des rhumes de temps en temps, il faut les considérer comme une maladie assez grave lorsqu'il s'agit des bébés. D'abord, le rhume gâte souvent l'appétit, ce qui compte beaucoup pour un être qui se développe avec une telle rapidité, et ensuite le rhume peut entraîner des complications très graves, comme des maux d'oreilles, la bronchite, la pneumonie. Prenez donc toutes les précautions nécessaires pour protéger le bébé contre le rhume. N'hésitez pas à éloigner de lui toute personne enrhumée. Si vous souffrez vous-même d'un rhume, lavez-vous soigneusement les mains avant et après avoir touché au bébé. Tenez-vous loin de lui chaque fois que cela est possible.

Si le bébé attrape un rhume, gardez-le dans une pièce à température de 72 degrés, protégez-le contre les refroidissements et ne lui donnez pas son bain quotidien si la pièce n'est pas suffisamment chaude. Si l'air est trop sec, il est bon de se servir d'un vaporisateur pour humidifier l'air de la pièce, ou encore, d'y faire bouillir de l'eau si on peut le faire sans danger.

Donnez-lui plus d'eau à boire et faites-le manger comme d'habitude s'il en a l'appétit. Couchez-le la tête basse pour permettre aux sécrétions de s'écouler. Ne lui administrez pas de gouttes nasales ou autres médicaments sans l'avis du médecin. Demandez aussi à ce dernier quand cesser les médicaments et les gouttes.

Le rhume ne dure d'habitude que quelques jours et ne fait pas monter la température de beaucoup. Surveillez-le en cas de symptômes particuliers. Si le bébé pleure en se roulant la tête d'un côté à l'autre, comme s'il avait mal aux oreilles, si sa respiration est rapide ou laborieuse et s'il tousse, appelez le médecin.

Laryngite ou croup

Il arrive que le rhume affecte le larynx (organe de production de la voix). L'enfant a de la difficulté à respirer, sa voix est rauque et la congestion du larynx pourra entraîner une toux qui ressemble à un aboiement. Le bébé est agité et même effrayé. Réconfortez-le et appelez le médecin s'il souffre de croup ou conduisez-le à l'hôpital. En attendant le médecin, gardez la pièce à une température de 72 à 75 degrés et assurez-vous que la pièce est humide.

On peut soulager le bébé qui souffre de croup en lui faisant respirer de l'air chaud fortement humidifié. Si vous ne pouvez rendre la pièce suffisamment humide à l'aide de la vapeur d'une bouilloire ou d'un vaporisateur, conduisez le bébé à la chambre de bain. Fermez la porte et laissez couler l'eau chaude jusqu'à ce que la vapeur se répande. Un petit coin bien protégé dans une cuisine chaude et humide est souvent l'idéal et vous permettra de jeter un coup d'oeil sur le petit malade.

Bronchite et pneumonie

L'une ou l'autre de ces complications peut suivre un rhume, la rougeole, la coqueluche ou une autre infection. Le bébé pourra sembler se rétablir et soudainement son état change, ce qui est signe d'une nouvelle infection. Appelez le médecin si la température de l'enfant est supérieure à 101 degrés, si la toux persiste ou si sa respiration est rapide et laborieuse.

MALADIES PAR CARENCE ALIMENTAIRE

À la page 99 du chapitre onze, traitant de l'alimentation du bébé, nous avons souligné l'importance de l'utilisation des vitamines C et D et de l'addition progressive d'aliments solides contenant du fer. En mettant ces conseils en pratique, vous éviterez des maladies comme le scorbut, le rachitisme et l'anémie.

Scorbut

À l'heure actuelle, la science médicale est en mesure de prévenir absolument tous les cas de scorbut. Cette maladie, qui ne devrait plus exister aujourd'hui, est causée par une carence de vitamine C dans le régime alimentaire. Il se manifeste par des douleurs dans les os longs du corps et par des gencives spongieuses. Le signe le plus sûr, c'est que le bébé pleure quand on le prend. Les jus d'orange ou de tomate ainsi que les autres aliments contenant de la vitamine C font échec au scorbut.

Rachitisme

Le rachitisme est une autre maladie qu'il est facile d'éviter. Il est causé par une carence de vitamine D, cette vitamine qu'il faut ajouter au régime alimentaire du bébé dès l'âge de deux semaines. L'enfant rachitique peut avoir les jambes torses et les genoux cagneux, le thorax déformé ou d'autres difformités qui peuvent devenir permanentes.

Anémie

Un enfant dont le régime alimentaire se compose essentiellement de lait sans aucune nourriture solide pendant une période trop prolongée, souffrira d'anémie parce qu'en grandissant, il a besoin d'aliments contenant du fer que le lait pris seul ne peut procurer. Il pourra être gras mais son teint sera très pâle. Plus tard, il se fatiguera facilement et deviendra irritable. En lui donnant des aliments solides au moment opportun, comme on vous l'a expliqué au chapitre onze, votre enfant consommera le fer dont il a besoin pour prévenir l'anémie.

MALADIES CONTAGIEUSES

Les descriptions suivantes vous renseigneront sur certaines des maladies contagieuses qui affligent les enfants. Il est possible d'éviter d'autres maladies graves si votre enfant est immunisé contre la variole, la diphtérie, la poliomyélite, la coqueluche, le tétanos, la rougeole. Faites immuniser votre enfant très tôt, au

début de sa première année. Consultez votre médecin qui confirmera vos soupçons au sujet des maladies suivantes, et qui vous donnera les directives nécessaires pour leur traitement.

Varicelle

La varicelle est très répandue chez les enfants et elle n'est pas une maladie très grave. Il est rare qu'un enfant en soit atteint plus d'une fois. Elle débute par des rougeurs qui se transforment en petites ampoules, puis en croûtes. Durant plusieurs jours, il y a une sortie de rougeurs chaque jour, qui peuvent se répandre sur tout le corps et même dans la bouche. La démangeaison est assez vive et si bébé se gratte, ces "rougeurs" peuvent s'infecter et laisser des cicatrices. Empêchez donc l'enfant de se gratter et coupez-lui les ongles courts. Une lotion de calamine ou une solution de bicarbonate de soude et d'eau appliquée sur les lésions, le soulagera. Si bébé fait un peu de fièvre, donnez-lui moins d'aliments solides, et plus de liquides.

Rougeole

Le bébé d'une maman qui a déjà eu la rougeole est habituellement protégé durant les premiers mois. Si l'enfant est atteint de rougeole, son nez coule, ses yeux larmoient, il éternue, tousse et fait de la fièvre. Il cherche à préserver ses yeux de la lumière qui lui fait mal. Ces symptômes apparaissent dix jours environ après que l'enfant a contracté la maladie. Une fièvre assez forte dure deux ou trois jours et une éruption se produit dans la bouche. L'éruption se répand ensuite sur tout le corps et disparaît graduellement, au cours des sept à dix jours suivants.

La rougeole est une maladie grave à cause des complications au niveau des poumons et des oreilles. Ces complications sont particulièrement sérieuses chez les très jeunes enfants. Si d'autres enfants de moins de trois ans ont été exposés à la contagion, prévenez votre médecin qui les protégera temporairement au moyen de globuline gamma. Ou encore, demandez à votre médecin de vacciner vos enfants contre la rougeole, ce qui se fait facilement de nos jours.

Rubéole

La rubéole est une maladie contagieuse très répandue que les enfants contractent au moins une fois dans leur vie. Deux à trois semaines après que l'enfant a été exposé à la contagion, une éruption légère et rose se produit, accompagnée d'une enflure des glandes du cou, et un peu de fièvre. Les complications sont rares et le traitement consiste simplement à garder l'enfant au lit et à lui donner beaucoup de liquides. Les femmes qui sont enceintes de quelques mois ne doivent pas venir en contact avec des enfants souffrant de rubéole. Si cela se produit, consultez le médecin qui pourra recommander l'injection de globuline gamma.

Coqueluche

La coqueluche est une maladie grave chez les bébés et les jeunes enfants. Son principal symptôme est une toux sèche persistante se terminant par des quintes caractéristiques. Elle peut durer des semaines. La coqueluche débute souvent par un rhume de cerveau qui disparaît quand les quintes se produisent. Les quintes peuvent provoquer des vomissements et dans ce cas, des repas plus légers mais plus fréquents sont préférables. La coqueluche est très contagieuse et c'est une maladie épuisante. Une complication commune est la pneumonie qui peut avoir des effets permanents au niveau des poumons. Le bébé qui souffre de coqueluche doit faire l'objet d'une surveillance médicale minutieuse.

Faites immuniser votre bébé contre la coqueluche. Le vaccin protège votre bébé complètement ou diminue la force de l'attaque si elle se produit. Faites vacciner votre bébé avant l'âge d'un an.

Oreillons

Les oreillons sont une affection des glandes situées derrière la machoire, en avant des oreilles. Le premier symptôme est d'habitude l'enflure de ces glandes bien que l'enfant ait contracté la maladie deux ou trois semaines plus tôt. L'enflure peut apparaître d'un seul côté du visage ou aux deux côtés à la fois. Une fièvre bénigne le premier jour, puis plus forte les jours suivants, peut se produire et l'enfant sera souffrant. Les cas bénins disparaissent en trois ou quatre jours, mais d'ordinaire l'enflure dure une dizaine de jours. Bien que cela soit rare, on peut contracter les oreillons plus d'une fois.

Autant que possible, garder l'enfant tranquille jusqu'à ce que l'enflure disparaisse.

Poliomyélite

La poliomyélite est une maladie très contagieuse qui s'attaque aux enfants et aux adultes. Elle a tendance à se présenter sous forme d'épidémie à n'importe quel temps de l'année, atteignant habituellement son plus haut point durant les mois d'été et d'automne. La poliomyélite est causée par un virus qui peut infecter la moelle épinière et causer une paralysie plus ou moins grave des muscles. Quand il y a épidémie, les enfants qui font de la fièvre accompagnée de maux de tête et de raideur du cou doivent demeurer au lit. Il faut alors appeler le médecin.

Les enfants et les adultes doivent être protégés par l'immunisation contre la polio. Le bébé doit être immunisé tôt, durant sa première année. Consultez votre médecin ou le service de santé au sujet du vaccin antipoliomyélite et n'oubliez pas de faire administrer les doses de rappel.

Tétanos

Si votre enfant s'inflige une coupure profonde ou une blessure pénétrante avec un clou ou un autre objet pointu, consultez votre médecin au sujet d'une injection de rappel contre le tétanos. Les microbes qui causent le tétanos pénètrent dans l'organisme par des blessures contaminées par la poussière des rues ou par la saleté. Il importe que les enfants reçoivent l'immunisation contre le tétanos durant leur première année.

Comme on l'a mentionné auparavant, il faut protéger votre enfant en le faisant vacciner et immuniser contre les maladies contagieuses au cours de sa première année, selon que votre médecin et l'infirmière du service de santé vous recommandent de le faire.

Appendice

ACCOUCHEMENT D'URGENCE

Ce chapitre est destiné à la personne qui peut avoir à assister à un accouchement d'urgence.

Si vous êtes dans cette situation, faites tout ce qui est en votre pouvoir pour vous assurer les services d'un médecin. Si c'est possible, demandez à quelqu'un de rejoindre pour vous le médecin le plus près, une infirmière ou un hôpital. Il est parfois possible de recevoir des directives médicales par téléphone jusqu'à l'arrivée de personnes expérimentées. En attendant, il faut que vous rassuriez et aidiez la maman.

Précautions contre l'infection

La première précaution essentielle à prendre c'est de protéger la mère contre l'infection, de recevoir le bébé de façon à faciliter l'établissement de la respiration et aussi de le protéger contre l'infection. Avant de toucher à quoi que ce soit, lavez-vous les mains pendant cinq minutes au savon et à l'eau, de préférence à l'eau courante. Mettez un tablier propre.

Si vous pouvez confectionner des masques et faire en sorte de les garder propres et stériles, il peut être souhaitable d'en porter un et de le changer à toutes les demi-heures.

Suivant les circonstances, vous pouvez peut-être demander à quelqu'un de réunir quelques objets essentiels, par exemple:

Une serviette propre pour glisser sous la mère

Du papier journal pour protéger le lit

2 ou 3 débarbouillettes ou mouchoirs propres

Couverture ou serviette propre pour emmaillotter le bébé

Quelques serviettes hygiéniques (environ 6)

Grands sacs pour se débarrasser du matériel souillé

Bassine

Tablier propre pour vous-même.

Travail

Le travail se fait en trois étapes et l'étude de celles-ci vous aidera à déterminer le temps dont vous disposez avant que ne se produise la naissance.

La première période dure en général plusieurs heures; chez les primipares, le travail dure souvent plus de 12 heures, moins longtemps chez les multipares. Au cours de cette période, la partie inférieure de l'utérus se dilate peu à peu pour permettre à la tête du bébé de s'engager.

Les contractions de l'utérus sont généralement faibles et irrégulières au début; il y a à peu près vingt minutes d'intervalle entre chaque contraction. Au fur et à mesure que le travail avance, les contractions sont moins espacées et deviennent plus fortes en se répétant à intervalles réguliers. Il faut redonner confiance et encourager la mère à se détendre, à se reposer le plus possible entre les contractions et à ne pas essayer de pousser ou de faire d'efforts. Ne lui dites pas de pousser ou de faire des efforts avant qu'elle n'en ressente le besoin, c'est-à-dire pendant la deuxième période. Plus elle se détend, durant la première période, plus elle s'aide elle-même et son bébé.

La deuxième période est beaucoup plus courte que la première; à ce moment le col étant dilaté, le bébé peut être expulsé par le vagin, dans le monde extérieur grâce aux contractions de l'utérus. C'est alors que la mère éprouve le besoin de pousser avec les contractions utérines qui se produisent maintenant à moins de cinq minutes d'intervalle. C'est le moment de l'encourager à respirer profondément et à pousser avec les contractions.

Les voies génitales commencent alors à se dilater et l'on aperçoit les cheveux et la tête du bébé. Maintenez une compresse sur la tête de l'enfant et essayez délicatement de dégager la tête. Dès que la tête est sortie, si le cordon est enroulé autour du cou de l'enfant, relâchez-le avec soin et essayez de le passer pardessus la tête. Essuyez la bouche, le nez et les yeux du bébé à l'aide d'un linge doux et propre. N'utilisez jamais de papier-mouchoir. Le bébé tournera lui-même sa tête de côté pour permettre aux épaules de se dégager. On peut faciliter l'expulsion de l'épaule supérieure d'abord. Pour ce faire, abaissez doucement la tête et le cou et, pour dégager l'autre épaule, soulevezles. Le dégagement du corps et des membres suit d'assez près le passage des épaules. Essayez de tenir le bébé pour qu'il ne tombe pas entre les jambes de la mère. Il faut maintenir le bébé, la tête et les épaules inclinés vers le bas pour permettre au liquide de s'écouler des voies respiratoires. Tenez le bébé audessus du lit, en le prenant par les pieds avec une main, l'index et le pouce entourant une cheville et les autres doigts entourant l'autre cheville. Avec l'autre main, soutenez la tête, le cou et les épaules de l'enfant. Il vous faut les deux mains pour le tenir car le bébé sera humide et glissant. Il commencera à crier dès qu'il respirera.

Soins immédiats au nouveau-né

Le bébé doit être emmailloté dans une couverture chaude et propre ou dans une serviette de bain. Son corps est humide à cause du liquide amniotique et il peut perdre sa chaleur naturelle rapidement. Il aura peut-être la peau d'une couleur bleuâtre mais elle changera rapidement au rose lorsqu'il commencera à respirer. Un bébé actif et remuant, qui crie et dont la peau est rouge ou rose, est un signe que tout va bien. Posez le bébé, enveloppé dans une couverture, et couchez le sur le côté en travers du ventre de sa mère. Cependant, si le cordon ombilical n'est pas assez long pour cela, posez le bébé bien enveloppé dans une couverture dans un endroit sec entre les jambes de la mère. Dans chacune de ces positions, vous pourrez surveiller si des sécrétions s'accumulent dans le nez et la bouche du bébé, sécrétions qu'il faut drainer en plaçant la tête du bébé plus basse que le reste du corps. En faisant ainsi, ne tirez pas sur le cordon ombilical qui relie encore l'enfant à sa mère. Il faut toucher le cordon le moins possible. Il n'y a pas la moindre hâte à couper et à attacher le cordon.

La plupart des bébés crient et respirent immédiatement après la naissance sans l'aide de personne. Cependant, si le bébé tarde à respirer, assurez-vous que son nez et sa bouche sont libres de sécrétions, que sa tête est en contrebas du reste du corps afin de faire écouler le liquide des voies respiratoires et qu'il est bien au chaud dans une couverture ou une serviette comme nous l'avons mentionné auparavant.

Si le bébé ne respire pas au bout d'une ou de deux minutes, la seule chose utile que vous puissiez faire est de respirer dans la bouche du bébé. Posez cinq ou six épaisseurs de gaze ou de tissu propre entre votre bouche et celle du bébé, ouvrez la bouche du bébé en serrant les joues ensemble et respirez doucement 15 à 20 fois par minute jusqu'à ce que le bébé respire. Ne tentez pas d'initier la respiration par des pressions sur le thorax ou avec des bains chauds et froids. Vous lui feriez plus de mal que de bien. Respirer dans la bouche du bébé lui fournira l'oxygène suffisant en attendant qu'il soit en mesure de respirer par lui-même.

Le troisième stade du travail

Vous voilà maintenant au troisième stade du travail, attendant l'expulsion du placenta appelé aussi délivre. Cela se produit en général dans les vingt à trente minutes qui suivent l'accouchement. Pressez doucement sur l'abdomen de la mère; vous sentirez l'utérus se durcir au moment où il se contracte pour expulser le placenta. Peu à peu, le cordon s'allongera et le placenta sortira dans un flot de liquide et de sang. Ne tirez pas sur le cordon pour aider l'expulsion.

Lorsque le placenta, un organe rond, rouge foncé, qui nourrissait le bébé avant sa naissance, est expulsé, il faut l'envelopper dans une serviette avec le bébé. C'est malpropre, mais c'est sûr.

Il est dangereux pour le bébé de couper et d'attacher le cordon ombilical avec des ciseaux ou des liens non stérilisés. Le sang arrête de circuler dans le cordon dès que le placenta est expulsé; et par conséquent il n'y a aucun danger que le bébé perde du sang de cette façon-là. On peut laisser le bébé sur le ventre de sa mère pendant un autre vingt minutes environ, car la pression ainsi exercée aide l'utérus à reprendre ses dimensions normales et empêche l'hémorragie. La mère peut ainsi voir son bébé, le tenir et cela la rassurera.

Soins immédiats à la mère

Il ne reste plus qu'un seul danger. Quelquefois les muscles de l'utérus ne se contractent pas et l'utérus ne redevient pas normal; la mère a alors une hémorragie. Le fait de placer le bébé sur le ventre de la mère, comme vous l'avez fait, aide et stimule la contraction de l'utérus. Le massage de la partie inférieure du ventre, ce que la mère peut faire elle-même, produit également le même effet. Il ne faut pas que la mère s'assoie. Surveillez-la de près pendant une heure. Elle doit être couchée, la tête inclinée vers le bas. Les parties génitales doivent maintenant être lavées avec soin à l'eau et au savon. Glissez sous ses hanches plusieurs épaisseurs de papier journal recouvert d'une serviette propre, mettez aussi une serviette hygiénique en place. Elle se sentira plus confortable si vous lui épongez le visage, le cou et les mains à l'eau tiède, et si vous lui offrez un breuvage chaud et sucré. Elle peut manifester un vif désir de dormir et se sentira souvent bien reposée après. Vérifiez la serviette hygiénique de temps à autre, en cas de perte excessive de sang. Si l'accouchée est agitée, si elle a la peau moite, si son pouls dépasse 80 pulsations par minute, c'est qu'il y a hémorragie. Dans ce cas, essayez de rejoindre le médecin dans le plus bref délai.

Au bout d'une heure, le danger d'hémorragie est pour ainsi dire passé. Il faut alors transporter la mère et le bébé là où on avait prévu la naissance, le plus souvent à l'hôpital. Là elle aura les soins nécessaires et le médecin coupera et attachera le cordon ombilical.

Cependant, si des circonstances spéciales empêchaient d'emporter le bébé et la maman à l'hôpital, le seul problème c'est d'obtenir de l'aide médicale pour faire couper et attacher le cordon. Ceci ne représente cependant pas une situation d'urgence trop grave. Tel qu'il est là, le bébé est hors de danger pendant plusieurs heures.

Cependant, si le cordon doit être coupé et attaché, voici ce qu'il faut avoir à sa disposition:

— Un ruban propre ou une corde épaisse, large et douce que l'on fait bouillir pendant dix minutes ou qu'on repasse au fer très chaud avant de s'en servir.

— des ciseaux bien aiguisés et propres qu'on fera bouillir pendant dix minutes.

— des pansements de gaze, de coton ou de drap que l'on repassera avec un fer très chaud.

Cas d'urgence peu fréquents

Le bébé naît avant que l'on puisse avoir de l'aide

Il peut arriver parfois que le bébé naisse avant l'arrivée de tout secours. On le trouvera gisant entre les jambes de la mère où il baignera peut-être dans une mare de liquide. On doit alors soulever doucement l'enfant par les pieds en suivant la méthode décrite précédemment et le maintenir la tête en bas pour permettre de drainer le liquide des voies respiratoires. Il faut essuyer avec soin la bouche et les yeux. Emmaillotez-le dans une serviette ou une couverture chaude et placez-le sur le ventre de la mère dans la position expliquée plus tôt dans "Soins immédiats au bébé". Puis il faut faire ce qui est indiqué dans "Troisième stade du travail". Quand le placenta est expulsé enveloppez-le dans une serviette et mettez-le auprès du bébé. Maintenant il faut faire ce qui est indiqué dans "Soins immédiats à la mère".

Présentation du siège

Quand le bébé se présente les fesses les premières, cela s'appelle présentation par le siège. Une telle naissance ne se produit que quelques fois sur des centaines d'enfants qui naissent la tête la première. Ne faites rien, ne tirez pas sur le corps ou les membres. Enveloppez-les au fur et à mesure qu'ils se présentent dans une serviette chaude. Cela empêchera l'enfant de prendre brusquement une première inspiration avant d'avoir le nez et la bouche libérés. Le refroidissement entrecoupe la respiration — vous le constatez en prenant une douche d'eau froide le matin!

Maintenez légèrement le corps de l'enfant dans une serviette chaude. Le poids du corps l'amènera peu à peu dans une position qui vous permettra de l'aider. Lorsque les épaules et les bras sont dégagés et que vous pouvez voir l'arrière du cou et entrevoir les cheveux, prenez les pieds suivant la technique décrite antérieurement et soulevez les jambes et le corps ensemble vers le haut dans un demi-cercle. Vous remarquerez que ce mouvement fera apparaître le nez et la bouche. Nettoyez-les délicatement; tous les sécrétions ramassées dans les voies respiratoires peuvent maintenant s'écouler permettant ainsi à l'enfant de respirer. Ne tirez pas sur le corps ou les membres mais encouragez la mère à prendre de courtes respirations; la suite de la tête devrait se dégager en quelques minutes.

Si vous pouvez suivre ces indications avec soin et sans vous presser, sans être pris de panique vous aurez considérablement aidé la mère et l'enfant. Emmaillotez le bébé chaudement, tenez-le délicatement et placez-le sur le ventre de sa mère. Vous pouvez maintenant attendre l'expulsion de la suite comme auparavant.

La personne qui aide à l'accouchement d'urgence doit rassurer la mère et intervenir le moins possible dans le processus naturel de la naissance. Elle doit s'assurer que le bébé respire, qu'il est bien au chaud et qu'on le manipule le moins possible. Il est important d'être aussi propre que possible vu les circonstances, de se laver les mains et d'utiliser un matériel propre pour soigner le bébé.

Une connaissance de ces manières de procéder ne fera pas de vous un accoucheur, mais votre assistance dans un cas d'urgence lorsque le docteur ou l'infirmière ne sont pas immédiatement disponibles, aidera la mère et l'enfant jusqu'à l'arrivée d'autres secours.

CALENDRIER DE LA GROSSESSE

Calcul, d'après le premier jour des dernières menstruations, pour une gestation de 280 jours.

Le caractère léger indique la date du premier jour des dernières menstruations et le caractère gras, en dessous, la date probable de l'accouchement.

Janvier	1	2	3	4	5	6	7	8	9	10	11	12	13	14	15	16	17	18	19	20	21	22	23	24	25	26	27	28	29	30	31	Janvier
Octobre	**8**	**9**	**10**	**11**	**12**	**13**	**14**	**15**	**16**	**17**	**18**	**19**	**20**	**21**	**22**	**23**	**24**	**25**	**26**	**27**	**28**	**29**	**30**	**31**	**1**	**2**	**3**	**4**	**5**	**6**	**7**	Novembre
Février	1	2	3	4	5	6	7	8	9	10	11	12	13	14	15	16	17	18	19	20	21	22	23	24	25	26	27	28				Février
Novembre	**8**	**9**	**10**	**11**	**12**	**13**	**14**	**15**	**16**	**17**	**18**	**19**	**20**	**21**	**22**	**23**	**24**	**25**	**26**	**27**	**28**	**29**	**30**	**1**	**2**	**3**	**4**	**5**				Décembre
Mars	1	2	3	4	5	6	7	8	9	10	11	12	13	14	15	16	17	18	19	20	21	22	23	24	25	26	27	28	29	20	31	Mars
Décembre	**6**	**7**	**8**	**9**	**10**	**11**	**12**	**13**	**14**	**15**	**16**	**17**	**18**	**19**	**20**	**21**	**22**	**23**	**24**	**25**	**26**	**27**	**28**	**29**	**30**	**31**	**1**	**2**	**3**	**4**	**5**	Janvier
Avril	1	2	3	4	5	6	7	8	9	10	11	12	13	14	15	16	17	18	19	20	21	22	23	24	25	26	27	28	29	30		Avril
Janvier	**6**	**7**	**8**	**9**	**10**	**11**	**12**	**13**	**14**	**15**	**16**	**17**	**18**	**19**	**20**	**21**	**22**	**23**	**24**	**25**	**26**	**27**	**28**	**29**	**30**	**31**	**1**	**2**	**3**	**4**		Février
Mai	1	2	3	4	5	6	7	8	9	10	11	12	13	14	15	16	17	18	19	20	21	22	23	24	25	26	27	28	29	30	31	Mai
Février	**5**	**6**	**7**	**8**	**9**	**10**	**11**	**12**	**13**	**14**	**15**	**16**	**17**	**18**	**19**	**20**	**21**	**22**	**23**	**24**	**25**	**26**	**27**	**28**	**1**	**2**	**3**	**4**	**5**	**6**	**7**	Mars
Juin	1	2	3	4	5	6	7	8	9	10	11	12	13	14	15	16	17	18	19	20	21	22	23	24	25	26	27	28	29	30		Juin
Mars	**8**	**9**	**10**	**11**	**12**	**13**	**14**	**15**	**16**	**17**	**18**	**19**	**20**	**21**	**22**	**23**	**24**	**25**	**26**	**27**	**28**	**29**	**30**	**31**	**1**	**2**	**3**	**4**	**5**	**6**		Avril
Juillet	1	2	3	4	5	6	7	8	9	10	11	12	13	14	15	16	17	18	19	20	21	22	23	24	25	26	27	28	29	30	31	Juillet
Avril	**7**	**8**	**9**	**10**	**11**	**12**	**13**	**14**	**15**	**16**	**17**	**18**	**19**	**20**	**21**	**22**	**23**	**24**	**25**	**26**	**27**	**28**	**29**	**30**	**1**	**2**	**3**	**4**	**5**	**6**	**7**	Mai
Août	1	2	3	4	5	6	7	8	9	10	11	12	13	14	15	16	17	18	19	20	21	22	23	24	25	26	27	28	29	30	31	Août
Mai	**8**	**9**	**10**	**11**	**12**	**13**	**14**	**15**	**16**	**17**	**18**	**19**	**20**	**21**	**22**	**23**	**24**	**25**	**26**	**27**	**28**	**29**	**30**	**31**	**1**	**2**	**3**	**4**	**5**	**6**	**7**	Juin
Septembre	1	2	3	4	5	6	7	8	9	10	11	12	13	14	15	16	17	18	19	20	21	22	23	24	25	26	27	28	29	30		Septembre
Juin	**8**	**9**	**10**	**11**	**12**	**13**	**14**	**15**	**16**	**17**	**18**	**19**	**20**	**21**	**22**	**23**	**24**	**25**	**26**	**27**	**28**	**29**	**30**	**1**	**2**	**3**	**4**	**5**	**6**	**7**		Juillet
Octobre	1	2	3	4	5	6	7	8	9	10	11	12	13	14	15	16	17	18	19	20	21	22	23	24	25	26	27	28	29	30	31	Octobre
Juillet	**8**	**9**	**10**	**11**	**12**	**13**	**14**	**15**	**16**	**17**	**18**	**19**	**20**	**21**	**22**	**23**	**24**	**25**	**26**	**27**	**28**	**29**	**30**	**31**	**1**	**2**	**3**	**4**	**5**	**6**	**7**	Août
Novembre	1	2	3	4	5	6	7	8	9	10	11	12	13	14	15	16	17	18	19	20	21	22	23	24	25	26	27	28	29	30		Novembre
Août	**8**	**9**	**10**	**11**	**12**	**13**	**14**	**15**	**16**	**17**	**18**	**19**	**20**	**21**	**22**	**23**	**24**	**25**	**26**	**27**	**28**	**29**	**30**	**31**	**1**	**2**	**3**	**4**	**5**	**6**		Septembre
Décembre	1	2	3	4	5	6	7	8	9	10	11	12	13	14	15	16	17	18	19	20	21	22	23	24	25	26	27	28	29	30	31	Décembre
Septembre	**7**	**8**	**9**	**10**	**11**	**12**	**13**	**14**	**15**	**16**	**17**	**18**	**19**	**20**	**21**	**22**	**23**	**24**	**25**	**26**	**27**	**28**	**29**	**30**	**1**	**2**	**3**	**4**	**5**	**6**	**7**	Octobre

Index

Pour information additionnelle sur la santé, s'il vous plaît écrire au ministère provincial de la santé ou au service régional de la santé.

NOTES